KU-327-353

Items should be returned on or before the last date shown below. Items not already requested by other borrowers may be renewed in person, in writing or by telephone. To renew, please quote the number on the barcode label. To renew online a PIN is required. This can be requested at your local library.
Renew online @ **www.dublincitypubliclibraries.ie**
Fines charged for overdue items will include postage incurred in recovery. Damage to or loss of items will be charged to the borrower.

Leabharlanna Poiblí Chathair Bhaile Átha Cliath
Dublin City Public Libraries

Baile Átha Cliath
Dublin City

Date Due	Date Due	Date Due

An Chéad Eagrán 2014
An t-eagrán seo © Leabhar Breac 2014
An téacs seo © Darach Ó Scolaí 2014

An t-eagrán crua: ISBN 978-1-909907-40-9
An t-eagrán bog: ISBN 978-1-909907-41-6

Clóchur, dearadh agus dearadh clúdaigh: Caomhán Ó Scolaí
Ealaín: N.C. Wyeth

An Chomhairle um Oideachas
Gaeltachta & Gaelscolaíochta

*Táimid buíoch den Chomhairle Um Oideachas Gaeltachta agus Gaelscolaíochta
as maoiniú a chur ar fáil don fhoilseachán seo.*

Clódóireacht: Clódóirí Lurgan

*Tugann an Chomhairle Ealaíon
tacaíocht airgid do Leabhar Breac*

Leabhar Breac, Indreabhán, Co. na Gaillimhe.
www.leabharbreac.com

OILEÁN
AN ÓRCHISTE

ROBERT LOUIS STEVENSON
Aistrithe agus oiriúnaithe ag Darach Ó Scolaí

LEABHAR
BREÁC

— CUID I —

AN SEAN-BHUCAINÉIR

— CUID II —

AN CÓCAIRE LOINGE

— CUID III —

M'EACHTRA I dTÍR

— CUID IV —

AN DÚNFORT

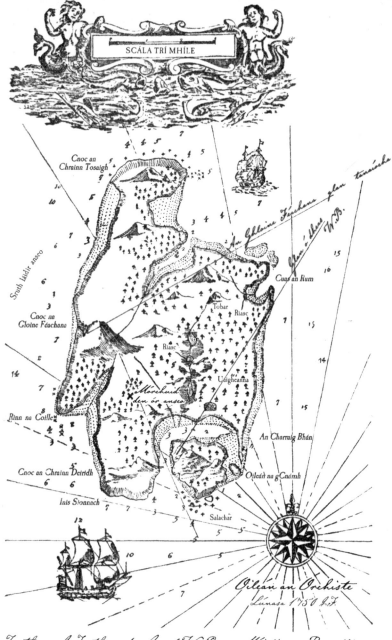

SCÁLA TRÍ MHÍLE

Cnoc an
Chrainn Tosaigh

An Gloine Féachana glan tarraingthe

Srub láidir anseo

Cnoc na
Gloine Féachana

Cuas an Rum

Tobar

Riasc

Riasc

Uaigheanna

Mórchuid
den ór anseo

Rinn na Coille

An Charraig Bhán

Cnoc an Chrainn Deiridh

Oileán na gCnámh

Inis Sionnach

Salachar

Oileán an Orchiste
Lúnasa 1750 J.F.

Tugtha ag J.F. thuas don Uasal W. Bones Máistir an Rosuailt
Savannah, 20 lá de mhí Iúil 1754 W.B.

Cóip den Chairt, domhanleithead agus
domhanfhad fágtha ar lár ag J. Hawkins

CUID A HAON
AN SEANBHUCAINÉIR

I

An Seanmhairnéalach san Aimiréal Benbow

Tosaíonn mo scéal nuair a bhí m'athair i mbun theach ósta an Aimiréil Benbow, agus nuair a tháinig an seanmhairnéalach chuig an teach ar dtús. Is cuimhin liom go maith an fear mór buíchraicneach sin agus a ghruaig ghréisceach ina trilseán anuas thar a ghualainn ar a chóta salach gorm. Bhí a lámha dubha gearrtha agus a chuid ingne briste, agus bhí seanghearradh claímh ina cholm bán ar a leiceann ghriandóite. Tháinig sé isteach an doras chugainn, a chófra loinge ar bharra rotha ina dhiaidh aniar, agus amhrán á rá aige:

> Cúig fhear déag ar chófra an fhir bháite
> Ió hó hó agus buidéal rum....

Bhuail sé a mhaide ar chomhla an dorais agus chuaigh m'athair amach chuige. 'Tá áit bhreá agaibh anseo,' ar sé. 'An mbíonn mórán cuairteoirí agaibh?'

'Ní bhíonn,' arsa m'athair, agus b'fhíor dó. Bhí gnóthaí ciúin.

'Bhuel, déanfaidh sé seo mise,' ar sé le fear an bharra rotha, agus d'ordaigh sé dó a chófra a thabhairt isteach.

'Duine réasúnach mé,' ar sé le m'athair. 'Ní bhíonn uaim ach

bolgam rum, bagún is uibheacha, agus radharc amach ar an bhfarr-
aige ó m'fhuinneog. Féadfaidh tú "Captaen" a thabhairt orm.'

Chonaic sé an fhéachaint amhrasach a thug m'athair air
agus thóg sé ceithre bhonn óir as sparán leathair, agus chaith
anuas ar an mbord iad. 'Inis dom nuair a bheidh sé sin caite
agam, tá tuilleadh san áit as ar tháinig sé!'

Cé go raibh cuma chrua gharbh air, ba léir go raibh sé cleachtaithe ar orduithe a thabhairt. D'inis an fear a thug a chófra chugainn gur tháinig sé chuig an gcalafort an mhaidin sin agus gur iarr sé teach ósta ciúin le cósta. Sin an méid eolais a bhí againn faoinár gcuairteoir mistéireach.

Chaith an captaen a chuid laethanta ar na haillte ag breathnú uaidh trína theileascóp práis. San oíche shuíodh sé cois tine sa pharlús ag ól rum. Ba mhinic nach dtugadh sé freagra nuair a labhraítí leis, agus ansin chomh borb céanna, shéideadh sé a shrón mar a bheadh bonnán ceo ann. D'fhanadh na lóistéirí eile glan air, mar a dhéanadh mé féin is m'athair.

Nuair a thagadh sé ar ais óna shiúlóid gach tráthnóna d'fhiafraíodh sé dínn an bhfacamar aon mhairnéalaigh. Ar dtús, shíleamar gur uaigneas a bhí air, ach ba ghearr gur thuigeamar gur i bhfolach ar dhuine éigin a bhí sé. Nuair a tháinig mairnéalach an bealach, lá, chaith sé tamall á ghrinneadh trí chuirtín an dorais sula dtiocfadh sé isteach sa pharlús. Nuair a bhíodh a leithéidí sa teach d'fhanadh sé chomh ciúin le luchóg.

Lá amháin, thug sé i leataobh mé, agus gheall toistiún airgid dom gach mí dá gcoinneoinn súil ghéar amach do mhairnéalach ar leathchois, agus é a insint dó chomh luath is a d'fheicinn é. Go minic, nuair a thagadh an chéad lá den mhí agus nuair a d'iarrainn an t-airgead air ní dhéanadh sé ach a shrón a shéideadh agus stánadh go dána orm. Ach taobh istigh de chúpla lá shíneadh sé chugam mo thoistiún, mar gur thábhachtaí dó mise a choinneáil ar faire dó ná mo chuid tuarastail a choinneáil siar. 'Coinnigh súil ghéar amach,' a deireadh sé arís, 'd'fhear na leathchoise!'

Agus b'in é an fear céanna a choinnigh ó chodladh na hoíche mé! Oícheanta garbha, nuair a bhíodh an díon ag ardú den teach agus na tonnta ag réabadh an chladaigh, d'fheicinn i m'intinn é agus an chos gearrtha faoin nglúin air, agus é do mo leanúint thar sconsaí is chlaíocha. Ba dhaor a d'íoc mé as an mbonn ceithre phingine sin gach mí.

Maidir leis an gcaptaen, ba mhinic a bhíodh an iomarca ólta aige, agus chaitheadh sé an oíche ag canadh a chuid seanamhrán gránna fiáin, gan aird aige ar dhuine ar bith. Oícheanta eile, sheasfadh sé gloine do gach uile dhuine agus chuireadh iallach orthu ar fad éisteacht lena chuid scéalta nó curfá a choinneáil lena chuid amhrán. Agus ba mhinic a chuala mé an teach ag creathadh lena 'Ió hó hó agus buidéal rum' agus na comharsana ar fad ag canadh in ard a gcinn le faitíos roimhe. Ba mhinic freisin é ag pléascadh le fearg faoi cheist a cuireadh, nó faoi cheist nár cuireadh, nó má shíl sé nach raibh an comhluadar ag éisteacht lena scéal. Agus ní ligeadh sé duine ar bith amach as an teach tábhairne go dtagadh codladh an mheisce air.

B'iad na scéalta ba mheasa. Scéalta uafásacha faoin gcroch, faoi shiúl ar chlár, faoi stoirmeacha farraige, agus faoi ghníomhartha buile sa Tortuga agus ar an gCósta Spáinneach.

Bhíodh m'athair a rá go mbrisfeadh sé muid mar nach gcuirfeadh duine ar bith suas lena chomhluadar gránna. Ach i ndáiríre, sílim gurbh é a mhalairt a tharla. Chuir sé faitíos ar dhaoine, ach táim cinnte gur thaitin sé sin leo. Ba bheag a tharlaíodh sa taobh seo tíre, agus ba chaitheamh aimsire de chineál a bhí ann, fiú is go raibh dream óg ann a labhraíodh go measúil faoi, ag tabhairt 'seanmhairnéalach' air agus 'fíor-chú mara', agus mar sin de.

Ach ar bhealach eile rinne sé dochar dúinn, mar d'fhan sé

linn nuair a bhí a chuid airgid i bhfad caite aige, agus ní raibh sé de mhisneach ag m'athair é a ruaigeadh. Má luaigh sé riamh é, shéideadh an captaen a shrón agus stánadh sé ar m'athair go bhfágfadh sé an seomra. D'fheicinn m'athair ag fáisceadh a lámha le himní, agus táim cinnte gurbh í an imní sin a bhris an tsláinte air agus a thug bás anabaí dó.

Níor cuireadh in aghaidh an chaptaein ach aon uair amháin, agus b'in nuair a bhí m'athair go dona leis an tinneas sin a sciob uainn ar deireadh é. Tháinig an Dochtúir Livesey ag breathnú ar a othar tráthnóna amháin, d'ith sé greim dinnéir a réitigh mo mháthair dó, agus chuaigh sé isteach sa pharlús chun a phíopa a chaitheamh fad is a bhí a chapall á gléasadh dó. Lean mé isteach é, agus thug mé suntas don difríocht mhór a bhí idir dochtúir dea-bhéasach néata na súl dubh agus an pheiriúic bháin, agus muintir na háite agus — thar dhuine ar bith eile — an seanfhoghlaí mara agus é ina shuí ar dearg-mheisce agus a dhá uillinn ar an mbord aige. Go tobann thosaigh an captaen ar a sheanamhrán:

> *Cúig fhear déag ar chófra an fhir bháite —*
> *Ió hó hó agus buidéal rum!*
> *An t-ól is an Diabhal a d'fhág iad tráite —*
> *Ió hó hó agus buidéal rum!*

Ar dtús shíl mé gurbh é a bhí i gceist le 'cófra an fhir bháite' an cófra loinge a bhí thuas staighre ina sheomra aige, pictiúr a bhí measctha i mo chuid brionglóidí uafáis le fear na leathchoise. Faoin am sin bhíomar ar fad, cé is moite den dochtúir, cleachta ar amhrán an chaptaein. Bhí an dochtúir ag déanamh cuir síos don gharraíodóir, Taylor, ar leigheas nua ar na scoilteacha agus, de réir mar a bhí an captaen ag gabháil fhoinn, bhí a ghlór á ardú ag an dochtúir. Ar deireadh, bhuail an captaen a lámh anuas ar an mbord ag iarraidh ciúnais. D'éist gach uile dhuine cé is moite den dochtúir. Bhuail an captaen a lámh anuas ar an mbord arís agus lig sruth mallachtaí as.

'Ciúnas ar an deic!'

'An liomsa atá tú ag labhairt?' arsa an dochtúir.

Lig an ruifíneach mallacht eile as.

Labhair an dochtúir leis arís. 'Níl le rá agam leatsa ach, má choinníonn tú ort ag ól an rum sin, gur gearr go mbeidh an domhan seo réidh le drochscabhaitéir!'

Léim an seanchaptaen ina sheasamh, nocht sé scian mhairnéalaigh agus bhagair go ngreamódh sé an dochtúir den bhalla léi.

Níor chorraigh an dochtúir, ach labhair sé leis de ghlór ard a gcloisfeadh gach duine sa seomra. 'Mura gcuirfidh tú an scian sin ar ais i do phóca anois díreach, geallaim duit go gcrochfar thú ag an gcéad suí eile den chúirt dúiche.'

D'fhan an bheirt ag stánadh ar a chéile go dtí, ar deireadh, gur chuir an captaen a scian ar ais ina phóca agus gur shuigh sé ar ais ar a shuíochán agus é ag mungailt faoina anáil mar a bheadh seanmhadra buailte ann.

'Agus anois,' arsa an dochtúir, 'tharla go bhfuil a fhios agam go bhfuil do leithéid sa cheantar, coinneoidh mé súil ghéar ort. Ní hé amháin gur dochtúir mé, is breitheamh freisin mé. Agus má chloisim oiread is clamhsán amháin fút, tabharfaidh mé an t-ordú agus ruaigfear amach as an gceantar thú. Agus sin sin.'

Tugadh capall an Dochtúra Livesey chuig an doras ansin, agus d'imigh sé leis. D'fhan an captaen ina thost an tráthnóna sin, agus ar feadh i bhfad ina dhiaidh.

2

Teacht agus Imeacht
an Mhadra Dhuibh

Geimhreadh fuar crua a bhí ann, agus ba léir ón tús nach mairfeadh m'athair go hEarrach. Bhí sé ag éirí níos laige in aghaidh an lae, agus fágadh cúram an tí tábhairne fúm féin agus faoi mo mháthair, agus bhíomar róchruógach le haird a thabhairt ar ár gcuairteoir mímhúinte.

Go moch, maidin sheaca i mí Eanáir, bhí an captaen ina shuí agus é ar an trá, a chlaíomh ag luascadh faoi eireabaill a sheanchóta ghoirm, a theileascóip práis faoina ascaill, agus a hata crochta siar ar a cheann.

Bhí mo mháthair thuas staighre le m'athair, agus an bord á leagan agam don bhricfeasta, nuair a osclaíodh doras an pharlúis agus sheas strainséara isteach ar thairseach an tí. Fear fada mílítheach a bhí ann, a raibh dhá mhéar caillte aige. Cé go raibh claíomh á chaitheamh aige ní raibh cuma an fhir throda air. Bhí mé ag faire amach do mhairnéalaigh — bídís ar leathchois, nó ar dhá chois féin! — ach thug mé suntas don fhear seo. Cé go raibh cuma na farraige air ní raibh cuma an mhairnéalaigh air.

Shuigh sé in airde ar bhord agus chomharthaigh sé dom teacht chomh fada leis.

'An do mo chomrádaí Bill an bord seo?'

Dúirt mé nach raibh aithne agam ar a chomrádaí Bill, ach gur don chaptaen an bord.

'Bhuel,' ar sé. 'B'fhéidir go dtugann mo chomrádaí Bill captaen air féin. Tá gearradh ar a leiceann ag an bhfear seo, agus bíonn sé an-ghlórach nuair a bhíonn an deoch istigh aige. Anois, an bhfuil mo chomrádaí Bill sa teach seo?'

D'inis mé dó go raibh sé imithe amach ag siúl.

'Cén treo, a mhic? Cén treo a ndeachaigh sé?'

D'inis mé dó cá dtéadh sé ag siúl, agus cén uair a dtagadh sé ar ais. Ach, in áit é a leanúint amach, d'fhan an strainséara taobh istigh den doras, agus é ag breathnú timpeall an choirnéil mar a bheadh cat ag faire ar luch. Ag pointe amháin sheas mé féin amach, agus ghlaoigh sé ar ais orm, agus nuair nár tháinig mé ar ais sách sciobtha dó lig sé sruth mallachtaí as agus d'ordaigh sé isteach mé ar an bpointe.

Nuair a tháinig mé isteach labhair sé go deas múinte liom arís ach, in ainneoin a chuid plámáis, bhí strainc ghránna ar a bhéal i gcónaí, rud a chuir ar m'airdeall mé. Dúirt sé go bhfanfadh an bheirt againn sa pharlús agus go n-imreodh muid cleas beag ar a chomrádaí Bill. Scaoil sé a chlaíomh ina thruaill ansin, agus sheas sé ansin ag faire an dorais.

Ar deireadh, tháinig an captaen, phlab sé an doras ina dhiaidh, agus shiúil caol díreach trasna go dtí a bhord.

'A Bhill,' arsa an strainséara.

Chas an captaen ar a chois, agus d'athraigh sé dathanna. Bhí sé mar a bheadh taibhse feicthe aige.

'Aithníonn tú mé, a Bhill? Do sheanchomrádaí loinge?'

Lig an captaen osna as. 'An Madra Dubh,' ar sé.

'Agus cé eile a bheadh ann?' arsa an strainséir, 'ach an Madra Dubh tagtha chun a sheanchomrádaí Billí a fheiceáil san Aimiréal Benbow. Muise, a Bhill, nach bhfuil píosa maith den domhan feicthe ag an mbeirt againne ó chaill mé an dá chrúca seo,' ar sé, agus a lámh mháchaileach á taispeáint aige dó.

'Anois, ó tháinig tú orm,' arsa an captaen, 'céard atá uait?'

'Ólfaidh mé gloine rum, a Bhillí, agus suífimid síos agus pléifimid cúrsaí go geanúil mar a dhéanfadh beirt seanchomrádaithe.'

Nuair a d'fhill mé orthu leis an mbuidéal rum bhí siad suite ar aghaidh a chéile ag an mbord, an Madra Dubh ar thaobh an dorais, súil amháin aige ar an gCaptaen agus súil eile ar a bhealach éalaithe.

Ón gcistin, bhí mé in ann iad a chloisteáil ag argóint, agus chuala mé corrmhallacht ón gcaptaen. Go tobann, d'ardaigh a ghlór de bhéic. 'Má thagann sé go dtí an chroch, a deirimse, crochtar muid go léir!'

Ardaíodh rois eile mallachtaí ina dhiaidh sin agus caitheadh cathaoir is cupán ar an urlár, ansin chonaic mé an Madra Dubh ag imeacht ar chosa in airde agus an captaen sna sála air, a gcuid claimhte nocht, agus an fhuil ag doirteadh as gualainn an strainséara.

Ag an doras thug an captaen iarraidh eile ar an strainséara, agus is cinnte go scoiltfeadh sé anuas go dtí an gimide é murach comhartha mór adhmaid an Aimiréil Benbow. Tá an eang le feiceáil in íochtar an chomhartha sin go dtí an lá atá inniu ann.

Nuair a bhí an Madra Dubh glanta leis tháinig an captaen ar ais isteach. 'Rum,' ar sé, agus thit sé ina chnap ar an urlár.

Tar éis di an gleo agus an torann ar fad a chloisteáil, tháinig mo mháthair anuas an staighre. Chrochamar cloigeann an chaptaein. Bhí saothar anála air, a shúile dúnta agus dath an bháis air.

'A leithéid de mhí-ádh agus de chúis náire,' ar sí, 'agus d'athair bocht ar an leaba tinn!'

Rinne mé iarracht braon rum a thabhairt don chaptaen, ach

bhí a bhéal fáiscthe go teann aige. Ba muid a bhí sásta nuair a shiúil an Dochtúir Livesey isteach, agus é tagtha le m'athair a fheiceáil.

'Ó, a dhochtúir,' a dúramar, 'céard a dhéanfaimid? Cá bhfuil sé leonta?'

Bhreathnaigh an dochtúir air. 'Leonadh?' ar sé. 'Níl ná leonta! Stróc a bhí aige — nár chuir mé fainic air! Anois, a bhean an tí, suas leat go dtí d'fhear céile, agus ná habair dada leis. Déanfaidh mise iarracht an rógaire seo a shábháil. A Jim, faigh báisín dom.'

Nuair a d'fhill mé leis an mbáisín bhí an mhuinchille stróicthe ar léine an chaptaein aige agus a chuid tatúnna nochta. Bhí 'Sciorta den Ádh,' 'Cóir Ghaoithe,' agus 'Billí Bones Abú,' scríofa go néata ar a láimh, agus in aice lena ghualainn bhí pictiúr den chroch agus fear ar crochadh uirthi.

Dúirt an dochtúir liom breith ar an mbáisín agus, lena scian, d'oscail sé féitheog ina láimh. Baineadh braon maith fola as sular oscail an captaen a shúile agus thug féachaint cheomhar ina thimpeall. Chonaic sé an dochtúir agus tháinig strainc air, ansin chonaic sé mise agus tháinig cuma níos sásta air. D'athraigh sé dathanna agus rinne sé iarracht é féin a ardú aníos.

'Cá bhfuil an Madra Dubh?'

'Níl madra dubh ar bith anseo,' arsa an dochtúir. 'Bhí tú ag ól rum arís tar éis dom fainic a chur ort.'

D'éirigh linn é a ardú agus é a chrochadh in airde an staighre. Leagamar ar a leaba é agus d'fhágamar ina chodladh é.

'Níl a dhath air,' a dúirt an dochtúir nuair a bhí an doras dúnta aige ar an seomra. 'Coinneoidh sé sin ciúin é ar feadh scaithimh; ach mharódh stróc eile é.'

3

An Spota Dubh

Thart faoi mheán lae thug mé deoch fhuar chuig an gcaptaen ina sheomra. Rinne sé iarracht éirí nuair a chonaic sé mé.

'A Jim, a chomrádaí, bhí a fhios agam go dtabharfása aire dom,' ar sé. 'Tabhair chugam braon rum anois, mar a dhéanfadh fear maith.'

Rinne mé iarracht a mhíniú dó céard a dúirt an dochtúir, ach phléasc sé le teann feirge. 'Cén t-eolas a bheadh ag an dochtúir sin faoi mhairnéalaigh? Bhí mise in áiteanna chomh te leis an bpic agus mo chomrádaithe ag titim leis an bplá ar gach aon taobh díom, agus an talamh faoi mo chosa ar ardú ar nós na farraige le creatha talún — cén t-eolas a bheadh ag an dochtúir faoi sin? Mhair mise ar rum, a deirim leat. Bhí idir bhia is deoch ann dom, idir fhear is bhean, agus má chailltear gan rum anois mé, agus mé tite ar an gcladach, is tusa agus an dochtúir sin is ciontaí!'

Chiúnaigh sé ansin agus rinne iarracht labhairt go réasúnach liom.

'Breathnaigh, a Jim, breathnaigh ar an gcreathán i mo

mhéara,' ar sé go hachainíoch. 'Nílim in ann iad a choinneáil socair. Níl deoir ólta agam ó shin. Is gearr go mbeidh mé ag feiceáil rudaí. Tá rudaí feicthe agam cheana féin. Chonaic mé Sean-Flint ansin sa gcúinne taobh thiar díot, chomh cinnte is atá tú i do sheasamh anseo anois, agus má fheicim arís é ardóidh mé na coirp as an talamh. Nach ndúirt an dochtúir féin nach ndéanfadh gloine bheag amháin aon dochar dom.'

Bhí sé ag éirí corraithe arís, agus bhí imní orm faoi m'athair. Ar fhaitíos go ndúiseodh sé é thug mé gloine rum chuige.

'Anois, a chomrádaí,' ar sé, 'an ndúirt an dochtúir cén fhad eile a bheidh mé ar an leaba?'

'Seachtain, ar a laghad,' a deirimse.

'Seachtain!' a bhéic sé. 'Beidh an spota dubh acu orm faoin am sin. Ní ligfidh mé dóibh a bhfuil agam a bhaint díom, m'anam nach ligfidh! Níl aon fhaitíos ormsa rompu! Croch-faidh mé mo chuid seolta, agus fágfaidh mé i mo dhiaidh iad!'

Rinne sé iarracht éirí, ach chinn air.

'Tá siad sa tóir ar mo sheanchófra loinge. Tá siad ar fad ann, seanchriú Flint. Bhí mise i mo mháta aige, agus is agamsa amháin atá a fhios cá bhfuil sé curtha i bhfolach aige. Thug sé dom i Savannah é, nuair a bhí sé ag saothrú an bháis.'

'Ach céard é an spota dubh, a chaptaein?'

'Gairm chúirte, a chomrádaí. Ach coinneoidh tusa súil amach dóibh agus roinnfidh mise leat é. Leath is leath, ar m'fhocal.'

Ar deireadh thit a chodladh air. Bhí agam an scéal ar fad a insint don dochtúir, ach mar a thit amach, cailleadh m'athair bocht go tobann an oíche sin, rud a chuir gach uile rud eile as mo cheann. Bhíomar go mór trína chéile — bhí comharsana ag teacht chuig an teach, bhí socraithe na sochraide le déanamh, agus bhí an tábhairne le coinneáil oscailte.

An lá tar éis na sochraide, thart ar a trí a chlog, agus an sioc ina luí ar an talamh, bhí mé i mo sheasamh sa doras ag breathnú uaim, agus mé ag cuimhneamh ar m'athair, nuair a chonaic mé duine éigin ag teacht anoir an bóthair. Ba léir gur dall a bhí ann, mar bhí sé ag bualadh an bhóthair roimhe lena mhaide agus bhí púicín mór glas anuas thar a shrón is a shúile. Bhí clóca mór loinge á chaitheamh aige agus é cromtha le haois nó le míchumas. Sheas sé agus ghlaoigh amach. 'An inseoidh duine ar bith don dall bocht seo, a chaill a shúile i seirbhís a thíre — beannacht Dé ar an Rí Seoirse — cén áit sa tír a bhfuil sé.

'Tá tú ag an Aimiréal Benbow, i gCrompán an Dúchnoic, a dhuine mhaith,' a deirimse.

'Cloisim do ghlór,' ar sé, 'glór fir óig. An dtabharfaidh tú do láimh dom le mé a thionlacan isteach?'

Shín mé amach mo láimh, agus d'fháisc an dall greim teann uirthi. Baineadh preab asam agus rinne mé iarracht í a tharraingt uaidh, ach tharraing an dall níos gaire dó mé.

'Anois, a bhuachaill,' ar sé, 'tabhair chuig an gcaptaen mé.'

'A dhuine uasail,' a deirimse, 'ní fhéadfaidh mé.'

'Treoraigh isteach mé nó brisfidh mé do láimh.' Agus bhain sé stangadh aisti agus lig mé béic asam le teann péine.

'Ar mhaithe leat féin a deirim é sin, a dhuine uasail,' a deirimse. 'Níl an captaen ar fónamh. Tá sé ina shuí agus a chlaíomh leagtha ar an mbord roimhe.'

'Siúil,' ar sé de ghlór fuar gránna, agus rinne mé rud air. 'Tabhair chomh fada leis mé, agus nuair a fheicfidh tú é abair amach "seo cara leat, a Bhill." Agus mura ndéanfaidh tú é sin, déanfaidh mise é seo.' Agus, leis sin, bhain sé casadh as mo láimh agus ba bheag nár thit mé i laige.

Scanraigh an dall chomh mór sin mé go ndearna mé

dearmad glan ar an bhfaitíos a bhí orm roimh an gcaptaen, agus d'oscail mé doras an pharlúis agus ghlaoigh amach mar a d'ordaigh sé dom. D'ardaigh an captaen bocht a cheann agus thráigh an mheisce air agus fágadh ar a chiall é. Ní faitíos a bhí air, ach tinneas an bháis. Rinne sé iarracht éirí, ach níor fhan aon neart ann.

'Anois, a Bhill, fan i do shuí,' arsa an déirc dall. 'Mura bhfuil radharc na súl agam, chloisfinn méar ag corraí. Sín amach do lámh chlé. A bhuachaill, beir greim ar a láimh agus tabhair anseo í.'

Rinne mé rud air, agus chonaic mé é ag leagan rud éigin a bhí ina láimh i láimh an chaptaein. D'fháisc an captaen a lámh air.

'Tá sé sin déanta anois,' a dúirt an dall. Agus, leis sin, scaoil sé liomsa, agus go luathchosach éadrom rinne sé a bhealach as an bparlús amach ar an tsráid, agus d'imigh sé leis agus a mhaide á bhualadh roimhe aige ar an mbóthar.

Bhreathnaigh an captaen isteach ina bhois agus d'fhógair go raibh sé a deich a chlog agus gur sé uair an chloig a bhí fanta aige. Agus leis sin, thosaigh sé ag luascadh ó thaobh go taobh agus thit sé ina chnap, béal faoi, ar an urlár.

Rith mé chuige, agus mé ag glaoch amach ar mo mháthair. Ach bhí sé fuar agam, bhí an captaen marbh. Tá sé deacair a thuiscint, mar ní raibh aon ghean agam ar an bhfear, ach chomh luath is a chonaic mé go raibh sé marbh, thosaigh mé ag rachtaíl chaointe. B'in é an dara bás a chonaic mé, agus bhí brón an chéad bháis ag luí go trom ar mo chroí.

4

An Cófra Loinge

D'inis mé an scéal ar fad do mo mháthair, agus ba ghearr gur thuigeamar an cruachás ina rabhamar. Bhí cuid d'airgead an fhir — má bhí aon airgead fanta aige — dlite dúinn, ach ba bheag an baol go mbeadh an Madra Dubh agus an dall sásta aon chuid de mhaoin an chaptaein a roinnt linn. Agus muid ag éisteacht go gcloisfeadh muid coisíocht ón mbóthar, bhí mé ag cuimhneamh ar an dall ag máinneáil timpeall an tí agus ar an gcaptaen fuar marbh ar urlár an pharlúis, agus bhí an oiread faitís orainn go dtiocfadh an bheirt sin ar ais lena gcuid comrádaithe gur chuir an torann is lú — titim an ghuail sa ghráta, nó fiú ticeáil an chloig — an croí trasna ar an mbeirt againn

Ar deireadh, shocraíomar go n-imeodh an bheirt againn ag iarraidh cabhrach. Ní raibh an baile beag ach cúpla céad slat ón teach, ar an taobh eile den chrompán, agus bhí áthas orm nach sa treo as ar tháinig an dall a bhíomar ag dul ach sa treo eile, agus nach raibh baol ann, mar sin, go gcasfaí ar a chéile muid ar an mbóthar. Bhí sé ag dul ó sholas nuair a bhaineamar an baile beag amach, agus ba mé a bhí sásta nuair a chonaic mé na soilse ag fáiltiú romhainn i bhfuinneoga na dtithe. Ach b'in a raibh d'fháilte ann mar, nuair a d'insíomar ár scéal dóibh, ní raibh oiread agus fear amháin ar an mbaile a bhí sásta filleadh ar an Aimiréal Benbow linn lena chosaint ar na strainséirí, cé go raibh siad breá sásta dul sa treo eile ag iarraidh cúnaimh ón Dochtúir Livesey. Bhí duine acu ann a chonaic beirt strainséirí ar an mbóthar an lá sin, agus bhí duine eile a chonaic bád beag i gCuan Khitt, ach ba léir go raibh faitíos a gcraicinn orthu roimh an gCaptaen Flint is a chriú.

Ar deireadh, d'iarr mo mháthair mála ar dhuine de na mná agus dúirt sí go bhfillfeadh mé féin is í féin ar an teach agus go dtabharfadh muid linn as an teach an t-airgead a bhí dlite dúinn.

Ní dhearna na fir ach gealladh dúinn go mbeadh diallait ar dhá chapall acu dúinn sa chás go leanfaí ar ais muid, d'imigh duine acu ar chapall ag iarraidh an Dochtúir Livesey agus shín duine eile piostal luchtaithe chugam.

Bhí mo chroí ag bualadh go tréan agus muid ag gluaiseacht romhainn san oíche fhuar, agus gealach mhór dhearg ag éirí os cionn an cheo. D'éalaíomar linn faoi scáth na bhfál agus ní fhacamar ná níor chualamar dada gur dhúnamar bolta dhoras an Aimiréil Benbow taobh thiar dínn. Bhíomar inár n-aonar sa teach le corp an chaptaein. Las mo mháthair coinneal, agus chuamar i ngreim lámh a chéile isteach sa pharlús. Bhí sé mar a d'fhág mé é, luite ar a dhroim, a dhá shúil ar oscailt, agus lámh amháin sínte amach aige.

Dhún mé an chomhla adhmaid ar an bhfuinneog ar fhaitíos go dtiocfadh duine éigin ag breathnú isteach orainn, agus chuaigh mé ar mo ghlúine lena thaobh. Ar an urlár, in aice lena láimh, bhí ciorcal beag páipéir agus dath dubh ar thaobh amháin de — an spota dubh, gan amhras. Ar an taobh eile, bhí scríofa air: 'tá go dtí a deich anocht agat'.

Bhuail an clog. Bhain an torann preab asainn, ach dea-scéala a bhí ann. Ní raibh sé ach a sé a chlog.

'Anois, a Jim,' arsa mo mháthair, 'an eochair.'

Chuardaigh mé a chuid pócaí, agus tháinig mé ar mhéaracán, ar shnáth agus ar chúpla snáthaid, ar phíosa tobac, ar a scian, ar chompás beag póca, agus ar chloch thine.

'B'fhéidir go bhfuil sí thart ar a mhuineál aige,' a dúirt mo mháthair.

Cé gur chuir sé as go mór dom é a dhéanamh, stróic mé a léine faoina mhuineál agus tháinig mé ar an eochair ceangailte de théad. Dheifríomar suas an staighre go dtí an seomra a raibh a chófra ann ón lá ar tháinig sé.

Ba chosúil le cófra loinge ar bith eile é ar an taobh amuigh, ach go raibh an litir B dóite ar a bharr le hiarann te. Thóg mo mháthair an eochair uaim, chas sí sa ghlas í, agus d'oscail an cófra. Bhí boladh láidir tobac ón gcófra. Faoi na héadaí fillte ar bharr, bhí ceathramhán, muigín stáin, tobac, leathbharra airgid, péire breá piostal, seanuaireadóir Spáinneach, cúpla giuirléid bheag, agus cúig nó sé shliogán neamhchoitianta. Is minic ó shin a chuimhnigh mé ar na sliogáin sin agus céard a thug air iad a thabhairt leis ó áit go háit. Faoin méid sin ar fad bhí seanchlóca mairnéalaigh, é tuartha ag an sáile, agus ag bun an chófra thángamar ar pháipéir a bhí fillte in éadach ola agus mála beag canbháis as a dtáinig cling airgid nuair a corraíodh é.

Dhoirt mo mháthair an t-airgead amach as an mála canbháis — dúblúin, laoisigh órga, giní buí, píosaí ocht réal — agus chomhairigh sí amach an méid a bhí ag dul dúinn, á gcur sa mhála. Sula raibh sí críochnaithe, rug mé ar a láimh, mar bhí torann éigin cloiste agam taobh amuigh — bualadh mhaide an daill ar dhromchla seaca an bhóthair. Bhí sé ag teacht níos gaire is níos gaire dúinn, ansin buaileadh buille ar dhoras an tí agus chualamar an bolta á chreathadh agus é ag iarraidh teacht isteach, agus ansin ciúnas taobh istigh is taobh amuigh agus ár n-anáil á coinneáil istigh againn. Ar deireadh, thosaigh buillí an mhaide ar an mbóthar arís, agus é ag éirí níos ísle is níos ísle gur imigh sé ar fad.

'A Mháthair,' a deirimse, 'tabhair leat ar fad é.' Mar bhí mé cinnte go dtarraingeodh an doras boltáilte an drong ar fad sa mhullach orainn, cé gur mé a bhí buíoch den bholta céanna.

In ainneoin an fhaitís a bhí uirthi, ní thógfadh mo mháthair pingin níos mó ná mar a bhí ag dul di, ach, ag an am céanna, bhí leisce uirthi imeacht gan an méid sin a thógáil. Bhíomar ag argóint faoi sin nuair a chualamar fead íseal i bhfad amach ar an gcnoc, agus b'in é ár ndóthain.

'Tógfaidh mé a bhfuil agam,' ar sí.

'Agus tógfaidh mise é seo,' a deirimse, 'mar chúiteamh ar an gcuid eile,' agus rug mé liom an t-éadach ina raibh na páipéir.

Rinneamar ár mbealach síos an staighre sa dorchadas, an choinneal lasta fágtha le hais an chófra againn, agus amach an doras linn de rith. Ní rabhamar ach díreach in am. Bhí an ceo beagnach scaipthe agus an ghealach lán ag soilsiú na hoíche. Chualamar coiscéimeanna agus daoine ag teacht inár dtreo. Bhreathnaíomar siar agus chonaiceamar solas ag corraí anonn is anall agus é ag teacht níos gaire dúinn, agus thuigeamar go raibh laindéar á iompar ag duine de na daoine sin. Bhíomar tagtha chomh fada leis an droichead nuair a thit mo mháthair i bhfanntais. D'éirigh liom í a tharraingt anuas ar an mbruach agus í a thabhairt isteach faoi shúil an droichid. Ní raibh mé in ann í a thabhairt níos faide, agus bhí an droichead chomh híseal gurbh éigean dom dul ag lámhacán ar mo bholg.

5

Deireadh an Daill

Dá mhéad é m'fhaitíos, ba mhó fós mo chuid fiosrachta. In áit fanacht mar a raibh mé, d'éalaigh mé in airde ar an mbruach agus chrom mé faoi thom. Bhí seachtar nó ochtar acu ann. Tháinig fear an laindéir chomh fada leis an teach ar dtús, ansin triúr fear eile agus iad i ngreim láimhe ina chéile. D'aithin mé an dall i lár báire.

'Brisimis an doras!' ar sé.

'Maith go leor,' arsa beirt nó triúr.

Rith cúpla duine ar an doras, ansin stop siad, agus labhair siad de ghlórtha ísle. Bhí an doras ar oscailt.

'Isteach libh, go beo!' a bhéic an dall.

Chuaigh ceathrar nó cúigear isteach agus d'fhan beirt ar an mbóthar leis an Dall.

Ligeadh béic as an teach. 'Tá Bill caillte!'

Lig an dall sruth mallachtaí as. 'Cuardaigh a chuid éadaigh, a phaca amadán, agus gabhadh an chuid eile agaibh in airde an staighre agus tugaigí anuas an cófra.'

Briseadh fuinneog i mbarr an tí, agus chrom fear acu amach.

'A Phiú,' a bhéic sé. 'Bhí duine éigin anseo romhainn. Tá gach rud a bhí sa chófra caite amach ar an urlár.'

'An bhfuil sé ann?' a bhéic Piú.

'Tá an t-airgead ann!'

Chuir Piú a mhallacht ar an airgead. 'Ciste Flint, a deirim!'

'Ní fheicim é.'

Tháinig fear eile go doras an tí. 'Bhí Bill cuardaithe cheana féin. Níl dada fanta.'

'Sin iad na daoine sin ag an tábhairne. Cuirim geall gurbh é an buachaill a rinne é — tá aiféala orm nár chuir mé an dá shúil as a cheann!' a bhéic an dall, Piú. 'Bhíodar anseo le gairid. Bhí an doras boltáilte acu nuair a bhí mé anseo. Scaipigí agus cuardaígí iad!'

'D'fhág siad coinneal lasta anseo,' arsa an fear san fhuinneog.

'Faighigí iad! Cartaigí amach a bhfuil sa teach!' arsa Piú arís, agus a mhaide á bhualadh anuas ar an mbóthar aige.

Bhí mé in ann iad a chloisteáil, dár gcuardach ar an gcladach, agus iad ag teacht níos gaire dúinn an t-am ar fad. Leis sin chualathas fead, an fhead chéanna a bhain preab asam féin agus as mo mháthair roimhe sin, ach gur séideadh faoi dhó í.

'Sin Dirk arís. Faoi dhó! Caithfimid crapadh linn!'

'Crap leat thú féin! Níl i nDirk ach amadán agus cladhaire. Tá siad in áit éigin anseo ina aice linn — ní fhéadfaidís a bheith imithe i bhfad ón teach. Faraor nach bhfuil dhá shúil i mo cheann!'

Chuaigh na fir ag breathnú timpeall ar an gcarn adhmaid, ach ba léir go raibh fonn imeachta orthu.

'Tá ciste ar luach na mílte is na mílte in aice láimhe, a phleotaí, agus tá sibh ag braiteoireacht! Bheadh sibh chomh saibhir le ríthe dá dtiocfadh sibh air! Ní raibh oiread agus duine

agaibh sásta aghaidh a thabhairt ar Bhill, ach rinne mise é — an fear dall! An gcaithfidh mé mo shaol ag déircínteacht ar mo dhá ghlúin agus ag súmaireacht ag iarraidh braon rum in áit cóiste agus capaill a bheith fúm, mar nach raibh oiread misnigh i gceachtar agaibh is a bheadh i gcruimh i mbriosca loinge!'

'Tá sé curtha i bhfolach acu,' a dúirt duine amháin.

'Tá an t-airgead againn,' a dúirt duine eile.

D'imigh Piú le craobhacha. Thosaigh sé á leadradh is á lascadh lena mhaide. Bhagair siadsan air agus thriail siad an maide a bhaint de.

Leis sin chualathas trup agus capaill ag teacht ar sodar. Scaoileadh piostal in aice láimhe, d'iompaigh na bucainéirí ar a sála agus ritheadar i ngach treo. Chuaigh duine le cladach, duine eile ar an gcnoc, agus níor fágadh ann ach Piú. D'imigh seisean tharam agus é ag bualadh an mhaide ar an mbóthar agus ag glaoch ar a chomrádaithe. Tháinig ceathrar nó cúigear de na marcaigh thar bharr an aird agus iad ag teacht le fána ar cosa in airde. Lig Piú béic uafáis as, agus chaith sé é féin i dtreo na claise. Ach d'éirigh sé arís, agus chaith sé é féin sa treo eile an iarraidh seo, amach faoi chosa na gcapall. Rinne an chéad mharcach iarracht é a sheachaint, ach bhí fuar aige. Thit Piú faoi chosa na gcapall, lig sé béic eile as agus níor chorraigh sé arís.

Léim mé i mo sheasamh agus ghlaoigh mé ar na marcaigh. Bhí siad ag iarraidh na capaill a smachtú, agus iad trína chéile ag an timpiste. Bhí an marcach a chuaigh ag iarraidh cúnaimh ón Dochtúir Livesey ar dhuine acu, agus oifigigh chánach a bhí sna fir eile. Scéala a fuair an Maor Dance faoin mbád i gCuan Khitt a thug inár mbealach iad, rud a thug slán ón mbás mo mháthair agus mé féin.

Bhí Piú chomh marbh le hart. Tháinig mo mháthair chuici féin nuair a tugadh ar ais chuig an mbaile beag í, cé go raibh sí an-mhíshásta faoin gcuid den airgead nach bhfuaireamar. Choinnigh an maor agus a chuid fear orthu chomh fada le Cuan Khitt, ach b'éigean do na fir a mbealach a dhéanamh go mall thar an duirling sa dorchadas. Faoin am ar bhain siad an cladach amach, bhí an bád ag seoladh amach as an gcrompán. Caitheadh cúpla piléar leis na fir ón mbád sular imigh sí orthu. D'éirigh leis an Maor Dance marcach a chur go B— le scéala do shoitheach an Rí, ach bhíodar tar éis éalú air. Bhí sé sásta, a dúirt sé, tar éis dó mo scéal a chloisteáil, gur éirigh leis seasamh ar chois ar Phiú.

D'fhill mé ar an Aimiréal Benbow in éineacht leis, agus ba dheacair a chreidiúint an dochar a rinneadh don teach agus na fir ar ár dtóir. Bhí an clog féin caite anuas ag na fir agus iad ár gcuardach, agus cé nár tógadh aon cheo cé is moite de mhála airgid an chaptaein agus beagán airgid as an scipéad, ba léir go rabhamar briste.

D'inis mé don Mhaor Dance nach é an t-airgead a bhí uathu, ach gur mheas mé go raibh an rud a bhí uathu i mo phóca agam, agus go raibh sé i gceist agam é a thabhairt chuig an ngiúistís, an Dochtúir Livesey, lena choinneáil sábháilte. Thairg sé ar an bpointe mé a thabhairt ann.

Thug duine de na marcaigh in airde ar a chapall mé, agus d'imigh mé ar cúlóg leis i dtreo theach an dochtúra.

6

Páipéir an Chaptaein

Ghluaiseamar romhainn de shodar. Ní raibh solas ar aghaidh an tí nuair a bhaineamar teach an Dochtúra Livesey amach. D'oscail cailín aimsire an doras dúinn agus d'inis dúinn go raibh an dochtúir ar cuairt ar an squire, mar a thug siad ar an duine uasal sa Teach Mór.

In áit dreapadh ar ais sa chúlóg arís, lean mé na marcaigh de rith suas an aibhinne agus an ghealach lán ag soilsiú an bhealaigh dúinn. Nuair a thángamar chomh fada leis an Teach Mór, d'fhág an Maor Dance a chapall le duine de na marcaigh agus chuaigh sé féin isteach in éineacht liom. Leanamar an doirseoir isteach sa halla go dtí seomra mór ina raibh leabhragáin ar gach balla agus dealbha beaga os a gcionn. Bhí an Dochtúir Livesey agus an Squire Trelawney ina suí ar dhá thaobh na tine, agus píopaí ina lámha acu. Fear mór déanta a bhí sa squire. Bhí éadan mór garbh air, é dearg agus rocach ag a chuid taistil, agus malaí móra dubha air — rud a chuir cuma chrosta air. Bheannaíomar dá chéile agus d'inis an Maor Dance fáth ár n-aistir dóibh, agus de réir mar a bhí a scéal á insint aige bhí an bheirt ag teannadh aniar chugainn agus a gcuid píopaí ligthe i ndearmad acu. Nuair a chuala siad go ndeachaigh mé féin agus mo mháthair ar ais chuig an teach tábhairne, bhuail an dochtúir a lámh anuas ar a shliasaid. 'Grá mo chroí sibh,' a bhéic an squire, agus bhris sé a phíopa ar an ngráta.

Sula raibh an scéal críochnaithe ar chor ar bith ag an maor, bhí an Squire Trelawney ag siúl suas is anuas an tseomra agus bhí a pheiriúic bainte dá mhullach maol ag an dochtúir. Nuair a tháinig an Maor Dance go deireadh a scéil, chuir an squire fios ar bheoir dó, agus mhol sé go hard é as an dall a mharú.

'A Jim,' arsa an dochtúir, 'an bhfuil an páipéar sin agat?'

Thug mé amach an beart beag éadaigh. Bhreathnaigh an dochtúir go fiosrach air, agus chuir go ciúin isteach i bpóca a chóta é.

'Nuair a bheidh a dheoch ólta ag an Maor Dance, ligfimid dó filleadh ar sheirbhís an Rí, agus iarrfaidh mé ar Jim fanacht liomsa anocht agus, le do chead, molaim go gcuirfí fios ar an bpióg fuar sin agus go dtabharfaí greim dó.

Tugadh isteach pióg cholúr, agus d'alp mé siar mo shuipéar mar bhí ocras an domhain orm.

'D'airigh tú caint ar an gCaptaen Flint seo?' a d'fhiafraigh an dochtúir den Squire Trelawney nuair a bhí an Maor Dance imithe.

'Murar airigh!' a dúirt an squire. 'Ba é Flint an bucainéir ab fhuiltí a sheol riamh. Ní choinneodh an Fhéasóg Dhubh coinneal leis. Chonaic mé a chuid seolta le mo shúile cinn, amach as Oileán na Tríonóide, agus bhí an oiread faitís ar chaptaen na loinge ar a raibh mé, gur iompaigh sé ar ais go Port na Spáinne!'

'An raibh airgead aige? Dá mbeadh cairt d'órchiste Flint agamsa, an mbeadh mórán airgead i gceist?'

'Dóthain le gurbh fhiú long a fheistiú le cur chun farraige ar a thóir.'

Thóg an Dochtúir Livesey amach an beart beag d'éadach oláilte, agus d'oscail é. Bhí leabhairín ann agus bileog a raibh séala air.

Agus mé féin agus an squire ag breathnú thar a ghualainn air, scrúdaíomar an leabhar. Iontrálacha a bhí ann ina raibh dátaí agus suimeanna airgid ar gach líne, agus crosóga beaga i ndiaidh gach iontrála. Anseo is ansiúd, bhí ainm áite luaite. 'Amach as Caracas,' cuir i gcás, nó comhordanáidí farraige: 62° 17' 20", 19° 2' 40", agus bhí tréimhse beagnach fiche bliain i gceist. Ar deireadh bhí suimeanna éagsúla scríofa, agus na focail 'Bones, a chnap féin' curtha leis.

'Níl mé in ann tóin ná ceann a fháil air,' arsa an Dochtúir Livesey.

'Nach bhfeiceann tú?' arsa an squire. 'Seo é a leabhar cuntais. Is do na longa nó na bailte a chreach siad a sheasann na crosóga seo. Agus is iad na suimeanna airgid a chuid siúd den chreach. Féach, san áit go bhfuil sé ag iarraidh a bheith soiléir faoi, cuireann sé tuilleadh eolais leis.'

'Sin é é!' a dúirt an dochtúir. 'Agus bhí na suimeanna ag dul i méid de réir mar a bhí ardú céime á bhaint amach aige ar an long.'

Thóg sé an bhileog ansin. Bhí cúpla séala céaracha, a raibh lorg méaracáin orthu, curtha ar an mbileog — an méaracán céanna, b'fhéidir, a fuair mé i bpóca an chaptaein. D'oscail an dochtúir na séalaí go cúramach agus thit cairt d'oileán amach. Bhí domhanfhad agus domhanleithead scríofa air, doimhneacht, ainmneacha na gcnoc, na gcuanta is na gcrompán, agus na dintiúir ar fad a theastódh chun long a thabhairt ar ancaire amach ón gcósta. Bhí an t-oileán thart ar naoi míle ar a fhad agus cúig mhíle trasna, agus é cosúil le dragan ramhar ina sheasamh, agus bhí dhá chuan bhreátha foscúla ann, agus cnoc i lár báire a raibh 'An Ghloine Féachana' scríofa air. Bhí cúpla x marcáilte i ndúch dearg air, agus i láimh dheas néata 'Formhór an órchiste anseo'. Ar a chúl, sa láimh chéanna, scríobhadh:

Crann ard, gualainn na Gloine Féachana, ó thuaidh lámh soir.

    Oileán na gCnámh soir lámh ó dheas.

    Deich dtroigh.

    Tá na barraí airgid sa chiste ó thuaidh; lean treoíocht an chnoic soir, deich bhfeá taobh ó dheas den aill dhubh a bhfuil éadan uirthi. Is furasta teacht ar na hairm, sa dumhach, taobh ó thuaidh den Chuan Thuaidh, soir agus lámh ó thuaidh. J.F.

Cé nár thuig mé focal de, bhí an Dochtúir Livesey ar bís.

'A Livesey,' arsa an squire, 'éireoidh tú as an diabhal dochtúireachta seo ar an bpointe. Amárach, táim ag tabhairt aghaidh ar Bhriostó. I gceann coicíse beidh an long is fearr agus an criú is fearr i Sasana againn. Beidh Hawkins ina ghiolla loinge againn, agus tú féin i do dhochtúir loinge, agus mise i m'aimiréal. Tabharfaimid linn Redruth, an Seoigheach, agus Hunter.'

'A Threlawney,' arsa an dochtúir, 'tiocfaidh mise leat, ach níl ach aon imní amháin orm.'

'Abair amach é!' a bhéic an squire.

'Tusa,' a d'fhreagair an dochtúir, 'mar níl sé ar do chumas rún a choinneáil i do bholg. Is cinnte go bhfuil na bithiúnaigh sin a bhí sa tábhairne, agus a gcairde sa bhád, ar thóir an órchiste seo, agus níor chóir d'aon duine againn a bheith ina aonar nó go mbeimid ar an bhfarraige. Fanfaidh Jim liomsa, agus tugadh tusa an Seoigheach agus Hunter leat go Briostó, agus ná labhraíodh duine ar bith focal faoi seo.'

'A Livesey,' a dúirt an squire, 'bíonn an ceart i gcónaí agat. Beidh mé chomh ciúin leis an mbás.'

CUID A DÓ

AN CÓCAIRE LOINGE

7

Téim go Briostó

Thóg sé níos níos faide ná mar a mheas an squire. B'éigean don Dochtúir Livesey dul go Londain chun dochtúir a fháil a thógfadh a áit, bhí an squire i mbun oibre i mBriostó, agus bhí mise faoina choimirce — nó i mo phríosúnach — ag an maor seilge, Sean-Redruth, agus mé ag brionglóidí faoin oileán is faoin gcairt, faoi chanablaigh is faoi ainmhithe allta.

D'imigh cúpla seachtain, agus lá amháin tháinig litir don Dochtúir Livesey agus é scríofa ar an gclúdach go raibh sí le hoscailt ag Tom Redruth nó ag Hawkins óg sa chás nach mbeadh an dochtúir ag baile. Thosaigh mé á léamh amach do Redruth:

> Tábhairne an tSean-Ancaire,
> Briostó, Márta 1, 17—
>
> A Livesey, a chroí,
> Tharla nach bhfuil a fhios agam cé acu an bhfuil tú ag an teach nó fós i Londain, táim á cur seo chuig an dá sheoladh. Tá an long ceannaithe agus faoi réir agam. Tá sí ar ancaire,

réidh chun farraige. Scúnar níos deise ní fheicfeá—d'fhéad-
fadh páiste í a stiúradh — dhá chéad tonna; Hispaniola a
hainm. Mo sheanchara, Blandly, a cheannaigh dom í. Tá
obair na gcapall déanta aige dúinn — aige féin, agus ag an
uile dhuine i mBriostó, chomh luath is a d'airigh siad go
bhfuilimid sa tóir ar órchiste.

'A Redruth,' a deirimse, ag stopadh den léamh, 'ní thaitneoidh
sin leis an Dochtúir Livesey. Bhí an squire ag caint, is léir.'

'Agus nach bhfuil a chead sin aige?' a dúirt an maor de
ghnúsacht. 'B'aisteach an scéal é mura mbeadh cead ag an squire
labhairt ar son an Dochtúra Livesey.'

Chuir mé stop leis an tráchtaireacht agus léigh an chuid
eile den litir:

Is é Blandly féin a tháinig ar an Hispaniola, agus é sin ar
fhíorbheagán costais. Tá go leor i mBriostó atá in éad leis. Deir
siad gur leis féin an Hispaniola agus gur dhíol sé go daor liom
í, rud nach fíor. Is léir gur breá go deo an long í. Ba leis an gcriú
ba mhó a bhí deacracht agam. Bhí sé ag cinneadh orm deichniúr
fear maith a fháil. Ach ansin, trí thimpiste, casadh sean-
mhairnéalach orm ar an duga agus thosaíomar ag caint. Bhí
teach tábhairne faoina chúram, agus aithne aige ar na sean-
bhádóirí ar fad. Bhí a shláinte ag meath agus é ar an talamh
agus theastaigh uaidh filleadh ar an bhfarraige arís. D'fhostaíos
mar chócaire ar an bpointe boise é. Long John Silver, a thugann
siad air. Chaill sé leathchois i seirbhís an Aimiréil Hawke. Níl
aon phinsean aige, a Livesey. Nach mór an náire é! Agus má
shíleas nach raibh faighte agam ach cócaire, ba ghearr go raibh
criú agam! D'éirigh liom féin agus Silver complacht a chruinniú
de na seanmhairnéalaigh is fearr a chonaic tú riamh — ní

deas an feic iad, ach tá an-spiorad iontu. Cheapfainn go bhféadfadh muid aghaidh a thabhairt ar fhrigéad. Chuaigh Long John, fiú, agus thug sé bóthar do bheirt as an seachtar a bhí fostaithe agam féin roimhe sin. Ba ghearr a thóg sé air a thaispeáint dom nach raibh iontu ach bádóirí cladaigh agus go mbeidís sa bhealach orainn ar an bhfarraige.

Táim ar bís le cur chun farraige, mar sin ná déan aon mhoill, a Livesey, ach tar chugam faoi dheifir. Lig do Hawkins cuairt a thabhairt ar a mháthair, agus Redruth á ghardáil; agus ansin tagadh an bheirt acu gan mhoill go Briostó.

John Trelawney

Iarscríbhinn — Tháinig Long John Silver ar mháta fíor-chumasach. Arrow atá air. Tá bósan agam a chasann an phíb, a Livesey; mar sin beidh gach uile shórt mar is ceart ar an long mhaith Hispaniola. Tá a bhean á fágáil ag Silver le haire a thabhairt don tábhairne. Bean ghorm í, agus í teasaí le cois. Mhaithfí do bheirt sheanbhaitsiléirí mar muid féin dá gceapaimis gurb í a bhean, chomh maith lena shláinte, atá á chur chun farraige. J.T.

I.I.S. — Féadfaidh Hawkins oíche amháin a chaitheamh lena mháthair. J. T.

An mhaidin dar gcionn, thug mé féin agus Redruth aghaidh ar an Aimiréal Benbow, agus bhí mo mháthair ann romhainn agus í in ardghiúmar. Ní hamháin go raibh sí réidh leis an gcaptaen, ach bhí caoi curtha ar an tábhairne ag an squire agus bhí an comhartha agus an parlús athphéinteáilte, agus cathaoir uillinn bhreá curtha sa bheár do mo mháthair. Fuair sé buachaill di mar phrintíseach le m'áitse a thógáil nuair a bheinn imithe.

Ba ansin, ar fheiceáil an bhuachalla dom, a thuig mé i gceart den chéad uair go raibh mé ag fágáil an bhaile, agus tháinig na deora liom. Tá faitíos orm gur thug mé íde na muc is na madraí don bhuachaill. Ní raibh sé cleachta ar an obair agus thapaigh mé gach deis chun é sin a chur in iúil dó. An lá dar gcionn, tar éis dinnéir, d'fhág mé slán ag mo mháthair agus ag an Aimiréal Benbow, agus bhuail mé féin is Redruth bóthar.

Bhí an ghrian ina suí. Dúisíodh mé le buille sna heasnacha agus cóiste an phoist ag teacht isteach i mbaile mór.

'Cá bhfuilimid? arsa mise.

'Briostó,' arsa Tom Redruth. 'Gabh anuas.'

Bhí an tUasal Trelawney ag cur faoi i dteach tábhairne ar an duga agus é i mbun maoirseachta ar fheistiú amach an scúnair. Shiúileamar anuas ar an gcé, mar a raibh iliomad long de gach saghas. I gceann amháin bhí mairnéalaigh ag gabháil fhoinn agus iad ag obair, i gceann eile bhí fir in airde sna crainn seoil, i bhfad os mo chionn, agus iad ar crochadh de cháblaí, agus bhí boladh an tarra agus an tsáile i ngach áit. Ar gach uile thaobh díom bhí seanmhairnéalaigh, fáinní ina gcluasa, a gcuid féasóg casta acu agus trilseáin ina gcuid gruaige.

Go tobann, thángamar chomh fada le teach tábhairne agus chonaiceamar an Squire Trelawney, gléasta mar a bheadh captaen loinge ann in éadach trom gorm, é ag teacht amach an doras agus meangadh mór gáire air.

'Tá sibh anseo faoi dheireadh,' ar sé, 'agus tháinig an dochtúir ó Londain aréir. Maith sibh! Tá lán loinge againn!'

'Ó, a dhuine uasail,' a deirimse, 'cén uair a chuirfimid chun farraige?'

'Chun farraige?' ar sé. 'Amárach!'

8

Ag Comhartha na Gloine Féachana

Tar éis bricfeasta, thug an squire nóta dom le tabhairt chuig John Silver, ag comhartha na Gloine Féachana, agus thug treoracha dom. Rinne mé mo bhealach trí na sluaite ar an duga gur tháinig mé ar an teach tábhairne. Bhí comhartha nua air. Bhí na fuinneoga péinteáilte agus bhí an t-urlár sciúrtha. Bhí sé idir dhá shráid agus doirse amach ar an dá thaobh. Agus, in ainneoin na púire deataigh, bhí sé breá geal taobh istigh, agus na mairnéalaigh chomh glórach ann gur fhan mé go cúthail ag an doras.

Tháinig fear amach as seomra, agus d'aithin mé ar a leathchois gurbh é Long John a bhí ann. Bhí a chos chlé bainte de faoin gcorróg, agus bhí maide croise aige faoina ascaill. Bhí sé fíormhaith i mbun na maide croise. Bhí sé ard agus an-láidir, bhí éadan mór bán air, agus cuma mheabhrach thaitneamhach air — é ag feadaíl agus é ag preabarnach thart idir na boird, agus an dea-fhocal aige do na custaiméirí.

Déanta na fírinne, ó léigh mé faoi Long John i litir an Squire Trelawney bhí faitíos ag teacht orm gurbh é mairnéalach céanna na leathchoise é a raibh mé ag faire amach dó san

Aimiréal Benbow. Ó bhí an captaen feicthe agam, agus an Madra Dubh, agus an dall, Piú, shíl mé go n-aithneoinn foghlaí mara — rud neamhchosúil leis an tábhairneoir glan dea-bhéasach seo.

Ghlac mé misneach, agus shiúil mé chomh fada leis. 'An tUasal Silver?' a deirim, agus shín mé amach an nóta dó.

'Is ea, a scoraigh, sin é an t-ainm atá orm,' ar sé. 'Agus cé thusa?' Chonaic sé litir an squire agus phreab sé de bheagán.

'Ó!' ar sé, os ard, agus shín sé a lámh chugam. 'Is tú an giolla loinge nua. Tá áthas orm casadh leat.' Agus rug sé ar mo láimh i ngreim mhór láidir.

Leis sin, d'éirigh duine de na custaiméirí ina sheasamh agus rinne sé ar an doras. Bhí sé amuigh sa tsráid i bhfaiteadh na súl, ach d'aithin mé ó m'am san Aimiréal Benbow an fear buíchraicneach sin a raibh dhá mhéar caillte aige.

'Ó,' a bhéic mé. 'Stop é! Sin an Madra Dubh!'

'Is cuma liom sa mhí-ádh cé hé féin,' arsa Silver, 'ach níor íoc sé a reicneáil. A Harry, rith amach agus beir air!' Léim duine de na fir amach ina dhiaidh. 'Más é an tAimiréal Hawke féin atá ann íocfaidh sé a bhille,' a bhéic Silver; agus ansin scaoil sé le mo láimh, 'Cé a dúirt tú a bhí ann?' a d'fhiafraigh sé. 'Cén Madra?'

'Dubh, a dhuine uasail. An Madra Dubh,' arsa mise. 'Nár inis an tUasal Trelawney duit faoi na bucainéirí? B'in duine acu.'

'I mo theach féin?' a bhéic Silver, agus chuir sé duine eile i ndiaidh an Mhadra Dhuibh. 'An tusa a bhí ag ól in éineacht leis, a Mhorgain?'

D'éirigh seanmhairnéalach liath go maolchluasach agus é ag cogaint ar a chuid tobac.

'Anois, a Mhorgain,' arsa Long John go crosta, 'níor casadh

an Madra … Madra Dubh seo ort riamh roimhe seo, ar casadh?'

'Níor casadh, a dhuine uasail,' arsa Morgan go humhal.

'Ní raibh a ainm ar eolas agat, an raibh?'

'Ní raibh, a dhuine uasail.'

'Dar príosta, a Tom Morgan, ach is maith an scéal é nach raibh!' a d'fhógair an tábhairneoir. 'Dá mbeifeása ag taobhú a leithéidí siúd, ní ligfinn isteach thar thairseach an tí seo arís thú! Agus céard a dúirt sé leat?'

'Níl a fhios agam, a dhuine uasail,' a d'fhreagair Morgan.

'Níl a fhios agat?' a bhéic Long John. 'Abair amach é — turais farraige, captaein, longa? Abair leat! Céard a dúirt sé?'

'Bhíomar ag caint ar ghlanadh na cíle,' arsa Morgan.

'Ag glanadh na cíle, an ea? Nach tráthúil!'

D'fhill Morgan ar a shuíochán agus chuir Silver cogar i mo chluais, ag rá gur dhuine macánta a bhí sa Tom Morgan seo, ach nach raibh sé rómheabhrach. 'Maidir leis an Madra Dubh seo, chonaic mé cheana é. Thagadh sé anseo le seandéirceoir dall.'

'Piú,' a deirimse.

'Sin é é!' arsa Silver. 'Piú! Tabharfaidh mise an chíle dó, an scabhaitéir!'

I gcaitheamh an ama seo bhí sé suas is anuas sa tábhairne ar a mhaide croise, agus é ag bualadh a láimhe ar na boird le teann díocais.

Ó chonaic mé an Madra Dubh sa Ghloine Féachana bhí mé in amhras faoi. Ach bhí sé róchliste dom, agus faoin am ar tháinig an bheirt ar ais gan an Madra Dubh agus saothar anála orthu, agus ar thug Silver íde béil dóibh, bhí mé chomh meallta aige go mionnóinn sa chúirt ar neamhchiontacht Long John Silver.

'Tá tusa óg,' ar sé liom, 'agus tá tú meabhrach. Feicim é sin ort, agus labhróidh mé leat mar a labhróinn le fear fásta. Cúis náire dom an rógaire sin a bheith anseo, i mo theachsa, agus é ag ól mo chuid rum. Níl a fhios agam céard a déarfaidh an squire liom. Táim ag brath ortsa, a Jim, le focal a chur isteach ar mo shon. Ach feiceann tú féin, murach an chos chrainn seo fúm, bheinn rite ina dhiaidh agus é tugtha ar ais i ngreim muiníl agam. Cén bhrí,' ar sé agus é ag gáire, 'ach gur imigh sé gan an reicneáil a íoc!'

D'imigh mé féin is Long John le casadh leis an squire. Shiúlamar ar an gcé agus, i gcaitheamh an ama, bhí sé ag insint dom faoi na longa éagsúla, faoin rigín, faoin lastas, faoi na criúnna, agus ag insint scéalta beaga dom faoi mhairnéalaigh agus ag míniú leaganacha cainte dom. Ba ghearr gur thuig mé gur mhór an chabhair a bheadh i Long John ar an turas farraige.

Nuair a bhaineamar amach an tábhairne ina raibh an squire agus an Dochtúir Livesey, bhí an bheirt ina suí le chéile ag bord. D'inis Long John an scéal ó thús deireadh dóibh. 'Nach mar sin a tharla sé, a Hawkins?' a deireadh sé liom, ó am go chéile, agus d'aontóinn go hiomlán leis i gcónaí. Bhí díomá ar an mbeirt gur éalaigh an Madra Dubh, ach d'aontaíomar nach raibh neart air, agus tar éis moladh a fháil ón mbeirt, thóg Long John a mhaide croise agus d'imigh sé leis.

'Bíodh gach mairnéalach ar bord san iarnóin,' a bhéic an squire ina dhiaidh.

9

Púdar agus Gunnaí

Bhí an *Hispaniola* ar ancaire amach ón gcé, agus b'éigean dúinn an bád iomartha a thabhairt thart ar roinnt longa eile, agus a gcuid cáblaí ag scríobadh na cíle orainn nó ag luascadh os ar gcionn, agus muid ag iarraidh dul chomh fada léi. Ar deireadh, thugamar an bád lena taobh, agus chuir an máta, an tUasal Arrow, fáilte romhainn agus muid ag dreapadh in airde ar an deic. Mairnéalach mór fiarshúileach buí a bhí ann a raibh fáinní ina chluasa aige. Bhí sé féin agus an squire an-chairdiúil, cé gur thug mé faoi deara nach raibh an cairdeas céanna idir an squire agus an captaen.

Tháinig an captaen go dtí an cábán inár ndiaidh.

'Cén scéala agat, a Chaptaein Smollett? Tá súil agam go bhfuil gach rud ar deil.'

'Beidh mé macánta leat,' a dúirt an captaen, 'fiú mura dtaitníonn sin leat. Ní maith liom an turas seo. Ní maith liom na fir. Ní maith liom m'oifigeach. Agus sin é é.'

'B'fhéidir, mar sin, nach dtaitníonn an long leat?' a d'fhiafraigh an squire, agus é ar bruth le fearg.

'Níl a fhios agam faoi sin fós, tharla nach bhfuaireamar

deis í a sheoladh,' ar sé. 'Ach tá cuma mhaith uirthi.'

'B'fhéidir, a dhuine uasail, nach dtaitníonn d'fhostóir leat, ach an oiread?' a d'fhiafraigh an squire de.

Tháinig an Dochtúir Livesey roimhe. 'Is leor sin,' ar sé. 'Go réidh anois, nílimid ag iarraidh drochthús a chur leis seo. Tá an iomarca, nó níl dóthain, ráite ag an gcaptaen, agus ba mhaith liom tuilleadh a chloisteáil uaidh. Cén fáth nach dtaitníonn an turas leat?'

'Fostaíodh mé, a dhuine uasail, faoi shéala, mar a deirimid, chun an bád seo a sheoladh san áit a d'iarrfadh an duine uasail orm í a sheoladh,' arsa an captaen. 'Ach anois tuigim go bhfuil níos mó ar eolas ag gach uile mhairnéalach sa chaladh faoin turas seo ná mar atá a fhios agam féin. Níl sé sin ceart, an bhfuil?'

'Níl,' a dúirt an Dochtúir Livesey,

'Ansin,' arsa an captaen, 'cloisim go bhfuilimid ag dul sa tóir ar órchiste — anois, ní rud éasca é turas rúnda sa tóir ar órchiste, ach tá sé níos deacra fós má tá an scéal ag an saol is a mháthair. Creidim nach bhfuil fios bhur ngnóthaí ag an mbeirt agaibh, a dhaoine uaisle, agus cuireann sé sin imní orm.'

'Agus an criú?' a d'fhiafraigh an Dochtúir Livesey. 'An bhfuil tú ag rá nach mairnéalaigh maithe iad?'

'Ní maith liom iad, a dhuine uasail,' a d'fhreagair an Captaen Smollett. 'Agus b'fhearr liom mo chriú féin a roghnú.'

'Tuigim,' arsa an dochtúir. 'Bhí ag mo chara anseo thú a thabhairt in éineacht leis nuair a bhí sé á bhfostú, ach níl neart air sin anois. Agus ní maith leat an tUasal Arrow?'

'Ní maith, a dhuine uasail. Creidim gur mairnéalach maith é, ach níor chóir go mbeadh oifigeach chomh mór sin leis an gcriú. Níor chóir dó a bheith ag ól leis na mairnéalaigh.'

'An bhfuil tú ag rá go n-ólann sé go trom?' a bhéic an squire.

'Níl, a dhuine uasail,' a d'fhreagair an captaen, 'táim ag rá go bhfuil sé rómhór leo.'

'Cén leigheas atá ar an scéal seo, a chaptaein?' a d'fhiafraigh an dochtúir.

'Maith go leor,' arsa an captaen. 'I dtús báire, tá an púdar agus na gunnaí á gcur sa pholl tosaigh acu. Anois, tá áit mhaith agaibh faoin gcábán, cén fáth nach gcuirfeadh sibh ansin iad? Agus an dara pointe, tá sibh ag tabhairt ceathrar de bhur muintir féin libh, agus deir siad liom go bhfuil siad le cur ar ceathrú sa chaiseal tosaigh. Cén fáth nach dtabharfadh sibh áit dóibh anseo in aice leis an gcábán?'

'An é sin é?' a d'fhiafraigh an tUasal Trelawney.

'Rud amháin eile,' arsa an captaen. 'Tá an iomarca cainte ar siúl.'

'I bhfad an iomarca,' arsa an dochtúir.

'Cloisim go bhfuil cairt d'oileán agaibh, agus cros ar an gcairt ag taispeáint cá bhfuil an t-órchiste i bhfolach,' arsa an Captaen Smollett, agus thug sé domhanfhad agus domhanleithead an oileáin go cruinn dúinn.

'Níor inis mé é sin do dhuine ar bith!' a bhéic an squire.

'Tá a fhios ag an gcócaire é, a dhuine uasail,' a d'fhreagair an captaen.

'A Livesey, chaithfeadh sé gur tusa nó Hawkins a bhí ann,' arsa an squire.

'Is cuma cé a dúirt é,' a d'fhreagair an dochtúir.

'Bhuel, a dhaoine uaisle,' arsa an captaen, 'Níl a fhios agam cé aige atá an chairt, ach ba mhaith liom go gcoinneofaí é sin faoi rún ó Arrow. Sin, nó beidh orm éirí as.'

'Tuigim,' arsa an dochtúir. 'Tá tú ag iarraidh an scéal seo a choinneáil faoi rún, tá tú ag iarraidh dúnfort a dhéanamh de chúl na loinge, agus ár ndaoine féin ar dualgas ann, agus na gunnaí agus an púdar ar fad faoinár smacht. I bhfocail eile, tá faitíos ort roimh cheannairc.'

'A dhuine uasail,' a dúirt an Captaen Smollett, 'tá tú ag cur focal i mo bhéal. Ní chuirfinn chun farraige dá gceapfainn é sin, ach, mar chaptaen, tá dualgas orm i leith mo chriú. Sin an méid.'

'A Chaptaein Smollett,' a dúirt an dochtúir go gealgháireach, 'ar airigh tú riamh an scéal faoin luchóg agus an sliabh? Cuireann tú an scéal sin i gcuimhne dom. Nuair a tháinig tú anseo cuirim geall go raibh sé i gceist agat níos mó ná sin a rá.'

'A dhochtúir,' arsa an captaen, 'tá tú cliste. Nuair a tháinig mé isteach anseo bhí mé ag iarraidh éirí as, agus níor shíl mé go dtabharfadh an tUasal Trelawney cluas éisteachta dom.'

'Agus ní thabharfadh,' arsa an squire. 'Murach Livesey anseo, thabharfainn an diabhal le hithe duit. Ach thug mé cluas duit, agus déanfaidh mé mar a d'iarr tú.'

D'imigh an captaen.

'A Threlawney,' arsa an dochtúir, 'creidim go bhfuil beirt fhear mhacánta ar bord agat — an fear sin, agus John Silver.'

Ar deic, faoi stiúir an Uasail Arrow, bhí na fir ag aistriú an phúdair agus na ngunnaí síos sa pholl faoin gcábán. Thaitin an leagan amach nua liom. Bhí áit chodlata do sheisear déanta ar chúl na loinge, agus bhí bealach idir na cábáin sin agus an cocús agus an caiseal tosaigh trí phasáiste ar bhord na sceathraí. Bhí sé i gceist gurbh iad an captaen, an tUasal Arrow, Hunter, an Seoigheach, an dochtúir, agus an squire a chodlódh sna cábáin sin, ach anois bhí Redruth agus mé féin le cur i bpéire acu, agus an tUasal Arrow agus an captaen le codladh ar chábán nua ar an deic. Bhí sé íseal go maith, ach ba chosúil go raibh an máta sásta leis.

Bhíomar go dian i mbun oibre, ag athrú na n-áiteanna codlata agus an phúdair, nuair a tháinig Long John aníos ar thaobh na loinge mar a bheadh moncaí ann.

'Hóra, a bhuachaillí,' ar sé. 'Céard é seo?'

'D'inis duine de na fir dó go rabhamar ag aistriú an phúdair.

'Dar m'anam,' a scairt Long John, 'má dhéanaimid é sin ní bhéarfaimid ar thaoide na maidine!'

'Mo chuid orduithe!' arsa an captaen go borb. 'Féadfaidh tú dul faoin deic. Tá suipéar le réiteach.'

'Tá go maith, a dhuine uasail,' a d'fhreagair Long John, agus d'imigh sé i dtreo an chócúis. Agus chuir an captaen mé féin ina dhiaidh le cabhrú leis.

10

An Turas

Go gairid roimh éirí na gréine, tar éis oíche mhór oibre ar bord, shéid an bósan ar an bpíb agus thosaigh an criú ag casadh an chapstain.

'Anois, a Bheárbaiciú, cas stéibh dúinn,' a bhéic duine amháin.

'An seancheann,' a bhéic duine eile.

'Maith go leor, a chomrádaithe,' arsa Long John, agus é ina sheasamh in aice láimhe agus a mhaide croise faoina ascaill aige. Thosaigh sé ar an amhrán:

'Cúig fhear déag ar chófra an fhir bháite…'

Agus an criú ar fad as béal a chéile:

'Ío hó hó agus buidéal rum!'

Agus leis an tríú 'Hó!' thiomáin siad barraí an chapstain rompu go díocasach.

Ba ghearr go raibh an t-ancaire crochta agus na seolta ag líonadh agus go raibh an talamh ag sleamhnú uainn ar an dá thaobh, agus sular fhéad mé luí síos agus codladh beag a dhéanamh, bhí an *Hispaniola* ar a bealach go hOileán an Órchiste.

Ní dhéanfaidh mé mionchur síos ar an turas. Bhí cóir ghaoithe linn, chruthaigh an long agus an criú go maith, agus ba léir go raibh fios a ghnóthaí ag an gcaptaen. Ach sular thángamar chomh fada le hOileán an Óir, tharla rud nó dhó nár mhiste trácht orthu.

I dtús báire, bhí an tUasal Arrow níos measa ná mar a shíl an captaen. Níor thug na fir aon aird air, agus tar éis lá nó dhó ar an bhfarraige, ba léir go raibh sé ag ól. Arís agus arís eile thagadh sé ar an deic agus é ar meisce, agus d'ordaítí ar ais faoin deic é. Ní hamháin gur dhrochoifigeach a bhí ann ach bhí drochthionchar aige ar na fir. Níor chuir sé iontas ar dhuine ar bith nuair a d'imigh sé uainn ar fad oíche amháin.

'Scuabtha i bhfarraige!' arsa an captaen. 'Bhuel, a dhaoine uaisle, is léir nach mbeidh orm slabhraí a chur air.'

B'éigean máta nua a roghnú, agus tugadh an obair sin don bhósan, Job Anderson, agus cé gur choinnigh sé a sheanteideal rinne sé obair an mháta. Bhí cleachta ag an Uasal Trelawney ar an bhfarraige, agus ba mhinic leis faire a dhéanamh nuair a bhí an aimsir in araíocht. Agus ba sheanmhairnéalach cruthanta a bhí sa liagóir, Iosrael Hands. Cara mór le Long John Silver a bhí ann — nó le Beárbaiciú, mar a thugadh an criú air. Chaitheadh sé siúd a mhaide croise ar théad thart ar a mhuineál, ionas go mbeadh an dá lámh saor aige, agus dhéanfadh sé a bhealach go héasca timpeall na loinge.

'Duine as an ngnáth é Beárbaiciú,' arsa an liagóir liom. 'Tá scolaíocht air, tá sé dea-labhartha nuair a thograíonn sé, agus tá sé chomh cróga le leon! Chonaic mé féin ag tabhairt faoi cheathrar é, agus bhuail sé a gcloigne ar a chéile—lena dhá láimh.'

Bhí bealach aige le labhairt le gach duine, agus bhí meas ag an gcriú ar fad air. Bhí sé an-chineálta liomsa, agus ba mhinic leis mé a thabhairt i leataobh sa chocús le héisteacht lena chuid scéalta.

'Gabh i leith uait, a Hawkins, go ndéanfaidh tú beagán seanchais le John,' a dúirt sé liom an chéad lá, agus thaispeáin sé an phearóid dom agus í suite ina cás sa chúinne. Bhíodh an cocús coinnithe go glan néata aige, na soithí nite agus curtha suas aige. 'Bhí an Captaen Flint ag caint liom — an Captaen Flint a thugaim ar mo phearóid — agus é ag rá go mbeidh rath ar an turas seo. Nach ndúirt, a Chaptaein?'

Agus scairt an phearóid amach go sciobtha, 'Píosaí ocht réal! Píosaí ocht réal! Píosaí ocht réal! Píosaí ocht réal!' arís agus arís nó gur chaith Long John éadach thar an gcás.

'Tá an t-éan sin os cionn dhá chéad bliain d'aois,' ar sé. 'Sheol sí leis an bhfoghlaí mara mór an Captaen England i Madagascar, i Malabar, i Suranam, i bProvidence, agus i bPortobello. Ba ag bordáil *Leasrí na nIndiacha* amach ó Ghoa a d'fhoghlaim sí le "píosaí ocht réal" a rá, agus cén t-iontas, agus céad caoga míle acu ann, a Hawkins!'

'Bígí faoi réir lena tabhairt thart,' a bhéic an phearóid.

'Á, nach álainn an soitheach í,' arsa Long John, agus thug sé siúcra as a phóca di.

Maidir leis an gCaptaen Smollett agus an squire, bhí sé ina chogadh fuar eatarthu i gcónaí. Thug an squire le fios go hoscailte nach raibh aon ghean aige ar an gcaptaen, agus níor labhair an captaen ach nuair a chuireadh an squire ceist air. D'admhaigh sé go raibh an criú go maith i mbun a gcuid oibre, agus gur thaitin an long leis. 'Ach,' a deireadh sé, 'nílimid sa bhaile fós, agus ní maith liom an turas seo.'

Agus ar chloisteáil seo don squire, d'iompódh sé thart agus d'imíodh sé leis ag máirseáil suas is anuas ar an deic. 'Focal eile ón bhfear sin,' a deireadh sé, 'agus pléascfaidh mé.'

Bhí aimsir gharbh againn, agus chruthaigh an *Hispaniola* go maith. Agus cé nach raibh an captaen agus an squire ag caint le chéile, bhí an criú sásta. In ainneoin an chaptaein, dháileadh an squire amach cionroinnt dhúbailte graig dóibh ar an leithscéal ba lú, agus roinntí milseog orthu ar laethanta breithe, agus bhí bairille lán le húlla leagtha ar an deic agus cead acu tarraingt orthu. Ach má shíl an captaen go raibh an criú millte, tháinig maitheas éigin as an mbairille úll.

Thángamar anoir leis na Trádghaotha le muid a thabhairt isteach go dtí an t-oileán, agus bhíomar ag súil le hamharc a fháil air an oíche sin. Bhí an long ag gluaiseacht roimpi go breá socair, a crann spreoide á thumadh sa sáile ó am go chéile agus cúr á chur in aer aici. Bhí ardghiúmar orainn ar fad agus muid ag aireachtáil go rabhamar ag tarraingt le deireadh an aistir.

D'imigh an ghrian faoi agus mé ar mo bhealach chuig mo leaba, agus chuaigh mé ar an deic ag iarraidh úill. Bhí na fir ar fad chun tosaigh agus iad ag faire amach don oileán, agus bhí an píolóta ag breathnú in airde sna seolta. Ní raibh le cloisteáil ach an fharraige ag cuimilt de chabhail na loinge. Ní raibh mórán úll fanta sa bhairille agus b'éigean dom dul i ndiaidh mo mhullaigh síos ann. A thúisce is a d'aimsigh mé úll dom féin chuala mé torann le mo thaobh, mar a bheadh fear mór tagtha ar an deic. Baineadh croitheadh as an mbairille nuair a shín sé é féin ina aghaidh. Bhí mé ar tí léimneach aníos as an mbairille nuair a chuala mé glór an fhir. Silver a bhí ann, agus faoin am a raibh deich bhfocal cloiste agam, ní raibh mé in ann mé féin a thaispeáint, bhí an oiread faitís orm. Mar ó na cúpla focal sin thuig mé go raibh an criú ar fad i gcontúirt.

11

An Chaint a Chuala mé
sa Bhairille Úll

'Ní mé,' arsa Silver. 'Ba é Flint an captaen. Ba mise an máistir ceathrún. San ionsaí sin a chaill mé mo chos, agus a chaill Sean-Phiú amharc na súl. Máinlia a bhain an chos díom — fear a raibh carraigeacha móra Laidine aige — ach chroch siad é leis an gcuid eile acu i gCaisleán Corso. B'in iad fir Roberts ar an *Royal Fortune* agus ina dhiaidh sin bhíomar ar an *Rosualt* — b'in í long Flint. Chonaic mé ar maos i bhfuil dhearg í agus í i mbaol a báite le meáchan an óir.'

'Dar m'anam,' arsa duine eile, an duine ab óige ar an long, 'ach ba é Flint an buachaill!'

'Chuir mé naoi gcéad i dtaisce ó mo sheal le hEngland, agus dhá mhíle le Flint. Níl cailleadh air sin, an bhfuil? Agus cá bhfuil fir England anois? Níl a fhios agam. Agus fir Flint? Tá a bhformhór anseo againn — agus iad breá sásta an obair a fháil. Bhí cuid acu ag déircínteacht roimhe seo, agus Sean-Phiú, chaill sé amharc na súl. Chaith sé míle dhá chéad punt in aon bhliain amháin agus mhair sé dhá bhliain ar déircínteacht, agus tá sé chomh marbh le hart anois.'

'Ba bheag an mhaith an t-airgead dó siúd,' arsa an mairnéalach óg.

'Is beag an mhaith é i lámha amadáin,' arsa Silver. 'Ach breathnaigh anseo, thusa. Tá tusa óg, agus meabhrach. Feicim é sin ort, agus labhróidh mé leat mar a labhróinn le fear fásta.'

Féadfaidh tú a shamhlú cé mar a d'airigh mé nuair a chuala mé an seanrógaire seo ag cuimilt meala den fhear óg mar a rinne sé liom féin.

'Seo mar a bhíonn an saol ag ridire na farraige. Téann sé san fhiontar, ach itheann sé agus ólann sé mar a dhéanfadh coileach comhraic, agus nuair a bhíonn an long i gcaladh, in áit na gcéadta leathphinginí, bíonn na céadta punt ina phóca aige. Tá cuid acu a chaitheann go fánach é, ach cuirimse de leataobh é. Beagán anseo, is beagán ansiúd. Ansin cuirim chun farraige arís. Sheol mé le roinnt de na fir farraige ba mhó dar sheol riamh. Agus is féidir brath ormsa ar an bhfarraige. Bhí faitíos ar go leor roimh Shean-Phiú, agus roimh Flint féin, ach sheol mise leo ar fad, agus beidh tú slán sábháilte ar mo longsa.'

'Bhuel, déarfaidh mé an méid seo leat,' a d'fhreagair an t-óganach. 'Níor thaitin an obair seo rómhór liom nó go raibh an comhrá seo agam leat, a John, ach croithfimid lámh anois air.'

'Agus is maith cróga an fear thú — agus meabhrach le cois,' a d'fhreagair Silver, agus an bairille á luascadh aige leis an gcroitheadh láimhe a thug sé don bhuachaill, 'agus níor leag mé súil fós ar ridire farraige chomh breá leat.'

Faoin am seo thuig mé gurbh ionann 'ridire farraige' agus foghlaí mara, agus go raibh an mairnéalach óg seo á earcú ag Silver. Tháinig an tríú fear chucu ansin, agus d'aithin mé an liagóir Iosrael Hands ar a ghlór.

'Cén fhad eile?' ar sé. 'Tá mo dhóthain agamsa den Chaptaen Smollett. Is fada liom go ngabhfaidh mé síos sa chábán sin aige go mblaisfidh mé a chuid picil agus a chuid fíonta!'

'A Iosraeil,' arsa Silver, 'fan san áit ina bhfuil tú, coinnigh síos do ghlór, agus glac staidéar nó go dtabharfaidh mise an focal, agus ansin beidh sé sin ar fad agat, a mhiceo!'

'Ach cén uair?'

'Cén uair, in ainm Chroim?' a bhéic Silver. 'Nuair a déarfaidh mise leat é, sin é an uair! Tá an mairnéalach breá seo againn, an Captaen Smollett, agus é ag seoladh na loinge dúinn. Tá an chairt ag an squire is an dochtúir — ligfimid dóibhsean teacht ar an órchiste dúinn, agus é a thabhairt ar bord. Agus dá bhféadfaí é, ar chor ar bith, ligfinn don Chaptaen Smollett muid a thabhairt abhaile, nó muid a thabhairt chomh fada leis an gcósta, dá mbeinn in ann brath oraibhse!'

'Ach nach fir farraige muid ar fad?' arsa Dic.

'Táimid in ann an long a stiúradh,' arsa Silver go borb. 'Ach cé a leagfadh síos cúrsa dúinn? Dá mbeadh mo bhealach féin agam ligfinn don Chaptaen Smollett muid a thabhairt ar ais thar na Trádghaotha, ionas nach mbeadh muid ag imeacht le sruth agus gan aon bhraon uisce ar bord againn. Ach tá a fhios agam cén sórt sibh féin nuair a bhíonn an t-ól istigh. Déanfaimid réidh leo ar an oileán chomh luath is a bheidh an t-ór ar bord.'

'Ach níl aon dochar sa deoch,' arsa Iosrael Hands. 'Is iomaí mairnéalach maith a d'óladh deoch ó am go chéile.'

'Agus cá bhfuil siad anois?' arsa Silver. 'Bhí Piú ar an gcaoi sin, agus fuair sé bás ina dhéirceoir. Bhí Flint ar an gcaoi chéanna, agus cailleadh le rum é i Savannah.'

'Ach céard a dhéanfaimid leis an gcuid eile?' a d'fhiafraigh Dic.

'Bhuel, céard a cheapfá? Iad a fhágáil i dtír? Iad a mharúnáil — mar a dhéanfadh England? Nó iad a mharú ar an toirt — mar a dhéanfadh Flint nó Billí Bones?'

'Bhí Billí ina fhear crua,' arsa Iosrael. '"Ní bhainfidh na mairbh greim asat," a deireadh sé. Agus tá sé sin féin básaithe anois.'

'Tá dualgas orainn ar fad,' arsa Silver, 'agus táimse in ann a bheith chomh bog le duine ar bith, ach tá dualgas orainn. Seo é mo vótasa — bás. Nuair a bheidh mise ag caitheamh saol an mhadra bháin agus mé amuigh ag marcaíocht i mo chóiste, níl mé ag iarraidh aon duine acu sin ag teacht i mo dhiaidh le breithimh is dlíodóirí. Nuair a thiocfaidh an t-am, déileálfaimid leo.'

'A John,' arsa an liagóir, 'is diabhlaí an mac thú!'

'Níl uaimse ach rud amháin,' arsa Silver. 'Táimse ag iarraidh Threlawney. Tarraingeoidh mé a chloiginnín dá mhuineál leis an dá láimh seo. A Dic!' ar sé ansin. 'Gabh is faigh úll dom, mar a dhéanfadh buachaill maith, tabhair dom úll go bhfliuchfaidh mé mo scornach.'

Féadfaidh tú a shamhlú an preab a baineadh asam! Bheinn amuigh as an mbairille de léim ach gur chlis an neart i mo ghéaga leis an bhfaitíos a bhí orm. Chuala mé Dic ag éirí, ansin chuala mé glór eile. 'Ná bac leis sin, a John! Ólaimis bolgam rum.'

'A Dic,' arsa Silver, 'tá muinín agam asatsa, ach tá an ceaig marcáilte agam. Seo í an eochair. Líon an muigín agus tabhair aníos é.'

In ainneoin an fhaitís a bhí orm, níor fhéad mé gan smaoineamh gurbh in é an áit a fuair Arrow bocht an deoch a chniog é.

Agus Dic imithe, labhair Iosrael i gcogar le Silver. Níor airigh mé ach leathabairt: 'Ní thiocfaidh aon duine eile acu linn.' Agus thuig mé uaidh sin go raibh cúpla fear dílis fós ar bord.

D'fhill Dic agus, duine i ndiaidh a chéile, d'ól siad as an muigín.

'Táim ag ól ort,' arsa duine amháin.

'Ná raibh brón ort,' arsa duine eile, agus chuir Silver féin rann leis. 'Síoda is sról ort, agus táim ag ól ort, bróga óir ort is capall is cóiste ort.'

Leis sin, shíl mé gur lasadh solas agus bhreathnaigh mé in airde. Bhí an ghealach os cionn an tseoil mhóir, agus ag an bpointe sin chualathas béic: 'Talamh thiar!'

12

Comhairle Chogaidh

D'imigh cosa de ruaig thar an deic, agus chuala mé daoine eile ag teacht aníos as an gcábán. Shleamhnaigh mé go ciúin as an mbairille agus d'éalaigh mé aníos thar an gcrann mór ar an deic tosaigh, áit a raibh Hunter agus an Dochtúir Livesey i measc na mairnéalach ag breathnú amach thar an bhfarraige rompu. D'ardaigh an ceo le héirí na gealaí agus bhíomar in ann dhá chnocán a fheiceáil cúpla míle ó chéile, agus taobh thiar díobh, cruach ard a raibh a mullach clúdaithe ag na scamaill. Bhí cuma ard ghobach ar na trí chnoc.

Thug an Captaen Smollett ordaithe don phíolóta, agus ansin ghlaoigh sé amach os ard. 'Insígí dom, a fheara,' arsa an captaen, 'an bhfuil an talamh sin amach romhainn feicthe ag duine ar bith agaibh roimhe seo?'

'Tá, a dhuine uasail,' arsa Silver. 'Bhí mé ar long a thóg uisce anseo uair amháin.'

'Tá áit fhoscúil ó dheas, taobh thiar d'oileán beag, an bhfuil?' a d'fhiafraigh an captaen.

'Tá, a dhuine uasail. Oileán na gCnámh a thugann siad air.

Bhí mairnéalach ar bord a raibh eolas maith aige ar an áit. Tugann siad an Crann Tosaigh ar an gcnoc sin ó thuaidh, agus an Crann Mór agus an Crann Deiridh ar an dá chnoc eile i líne ó dheas uaidh. Agus an cnoc ard ar a gcúl, sin é Cnoc na Gloine Féachana. Mar gur ann a bhíodh an fear faire nuair a bhíodh long á glanadh sa chuan. Ba anseo a ghlantaí na longa, a dhuine uasail.'

'Tá cairt anseo agam,' arsa an Captaen Smollett. 'An aithníonn tú an áit anseo?'

Bhí an dá shúil ag dó ina cheann ag Long John nuair a thóg sé an bhileog, ach bhí a fhios agam ón gcuma ghlan a bhí uirthi go mbeadh díomá air. Níorbh í seo an chairt a thógamar ó chófra Bhillí Bones, ach cóip di gan nótaí ná crosóga.

Níor lig Silver dada air féin.

'Is ea, a dhuine uasail,' ar sé, 'seo é é, gan amhras, Cuan an Chaptaein Kidd, sin é go díreach an t-ainm a bhí ag mo chomrádaí air. Tá sruth láidir ó dheas le cósta anseo, agus sruth ó thuaidh ar an gcósta thiar.

'Go raibh maith agat,' arsa an Captaen Smollett. 'Beidh do chúnamh uaim ar ball. Déanfaidh sin anois.'

Gheit mé nuair a tháinig John chomh fada liom.

'Á,' ar sé, 'ach is deas an t-oileán é seo. Beidh tú ag snámh is ag dreapadh ar chrainn, ag fiach gabhar, agus ag imeacht ar na cnocáin arda sin mar a bheadh an gabhar féin ann. Nár bhreá a bheith óg arís agus deich ladhar a bheith ar dhuine! Má bhíonn fonn siúil ort, abair an focal le Sean-John, agus réiteoidh mise greim le hithe duit.'

Bhí an Captaen Smollett, an squire, agus Dochtúir Livesey ag siúl in éineacht ar an deic cheathrún. Nuair a chonaic an Dochtúir mé d'iarr sé orm a phíopa a thabhairt chuige. Ach chomh is a luath is a bhí mé sách gar dó, labhair mé os íseal leis.

'A Dhochtúir, tá scéala agam daoibh. Tabhair an captaen agus an squire go dtí an cábán, agus ansin cuir fios orm. Tá drochscéala agam daoibh.'

Níor lig an dochtúir dada air féin. 'Go raibh maith agat, a Jim,' ar sé os ard, 'déanfaidh sin,' amhail is go raibh freagra tugtha agam ar cheist a chuir sé.

D'fhill sé ar an mbeirt eile, labhair siad go sciobtha, agus thug an captaen ordú do Job Anderson, agus ordaíodh don chriú ar fad teacht ar deic.

'A bhuachaillí,' a dúirt an Captaen Smollett, 'tá focal nó dhó le rá agam libh. Táimid tagtha go ceann scríbe, agus tá iarrtha ag an Uasal Trelawney orm a rá libh go bhfuilimid an-sásta libh, agus go bhfuil sé do mo thabhairt féin agus an dochtúir faoin deic chun bhur sláinte a ól, agus go bhfuil iarrtha aige orm deoch a roinnt oraibhse lenár sláinte féin a ól. Agus sílim gur maith uaidh é. Agus má shíleann sibhse é sin freisin ligigí gáir!'

Ligeadh gártha molta, agus ba dheacair dom a chreidiúint gurb é an dream céanna seo a bhí ag réiteach le muid a mharú.

'Gáir amháin eile don Chaptaen Smollett,' a bhéic Long John, agus rinneadh sin.

D'imigh an triúr faoin deic agus cúpla nóiméad ina dhiaidh sin cuireadh scéala amach go raibh Jim Hawkins ag teastáil sa chábán.

Bhí an triúr acu suite ag bord agus buidéal fíon Spáinneach oscailte acu agus iad ag ithe rísíní. Bhí gal á chaitheamh ag an dochtúir agus a pheiriúic ar a ghlúin aige — rud a chiallaigh go raibh sé trína chéile. Bhí an fhuinneog ar oscailt. Bhí an oíche meirbh agus bhí an ghealach ag scalladh ar shruth na loinge.

'Anois, a Hawkins,' arsa an squire, 'tá scéal éigin agat dúinn. Abair leat.'

Rinne mé mar a d'iarr sé agus rinne mé cur síos dó ar an gcomhrá a chuala mé ar an deic, agus níor labhair duine ar bith gur chríochnaigh mé. 'Suigh, a Jim,' arsa an Dochtúir Livesey. Líon sé gloine fíona dom agus líon sé mo lámh le rísíní, ansin, d'ól an triúr mo shláinte.

'Anois, a chaptaein,' arsa an squire, 'bhí an ceart agatsa, agus bhí mise mícheart, agus táim ag fanacht le do chuid orduithe.'

'Tá oiread iontais ormsa is atá ort féin,' arsa an captaen. 'Ní raibh tuairim agam go raibh sé seo ag titim amach.'

'A chaptaein,' arsa an dochtúir, 'le do chead, is é Silver atá taobh thiar de seo ar fad. Duine ar leith é.'

'Fear ar mhaith liom é a fheiceáil crochta de shlat an tseoil mhóir,' a d'fhreagair an captaen. 'Ach tá ceithre phointe ar mhaith liom a dhéanamh, le cead an Uasail Trelawney.'

'Sea, a dhuine uasail, is tusa an captaen,' arsa an tUasal Trelawney go humhal.

'Ar dtús,' arsa an tUasal Smollett, 'caithfimid leanúint orainn, ní féidir casadh ar ais. Dá dtabharfainn an t-ordú an long a thabhairt thart, d'éireoidís amach ar an bpointe. An dara pointe, tá am againn — nó go dtiocfaimid ar an órchiste. An tríú pointe, tá fir dhílse i measc an chriú. Agus an ceathrú pointe, beidh sé ina throid luath nó mall, agus molaimse teacht rompu sula mbeidh súil acu leis. An féidir linn brath ar do chuid giollaí tí, a Threlawney?'

'Chomh dílis liom féin,' a d'fhógair an squire.

'Triúr,' arsa an captaen, 'agus muid féin, sin seachtar. Agus céard faoi na mairnéalaigh dhílse?'

'Na fir a d'earcaigh Trelawney, a déarfainn,' arsa an dochtúir.

'Ach bhí Iosrael Hands ar dhuine díobh siúd,' a d'fhreagair an squire.

'Caithfimid a bheith faoi réir,' arsa an captaen. 'Caithfimid a fhios a bheith againn cé acu a bheidh linn sula dtabharfaimid aghaidh orthu.'

'Cabhróidh Jim linn ansin,' arsa an dochtúir. 'Tá an criú mór leis, agus tugann sé rudaí faoi deara.'

'A Hawkins,' arsa an squire, 'Tá an-mhuinín agam asat.'

Ach, ní raibh an oiread céanna muiníne agam asam féin. Ar deireadh, ní raibh ach seachtar as an seisear is fiche a rabhamar in ann brath orthu, agus as an seachtar sin buachaill a bhí i nduine amháin, mar sin bhí seisear fear fásta againn in aghaidh naoi dhuine dhéag acu sin.

CUID A TRí
M'EACHTRA I DTíR

13

Mar a Chuaigh mé i dTír

An mhaidin dár gcionn, bhí an *Hispaniola* ag luascadh ar na maidhmeanna, an stiúir á bualadh anonn is anall, agus an long ar fad ag díoscán is ag geonaíl. Nuair a tháinig mé aníos ar deic, b'éigean dom greim teann a choinneáil ar na scriútaí, mar ní raibh aon chleachtadh agam ar a bheith stoptha cheal chóir gaoithe, agus muid caite soir siar mar a bheadh buidéal ar an aigéan.

Cuma eile ar fad a bhí ar an oileán anois, agus muid suite leathmhíle amach ón gcósta thoir. Bhí an chuid is mó den oileán faoi choillte liatha. Ar an talamh íseal, bhí an fásra liath sin briste anseo is ansiúd ag dumhcha buí gainimh agus ag crainn arda giúise, agus os a chionn, cloch ar fad a bhí sna cnoic. Bhí cruth aisteach ar gach uile cheann acu, agus an Ghloine Féachana, a bhí trí nó ceithre chéad troigh níos airde ná cnoc ar bith eile, mar a bheadh an ceann bainte de, agus clár leathan réidh ar a bharr.

B'fhéidir gurbh é sin ba chúis leis, nó dath liath an oileáin, nó búiríl na farraige le cósta, ach, le fírinne, ba bheag fonn a bhí orm aghaidh a thabhairt ar Oileán an Órchiste.

Bhí maidin mhór oibre amach romhainn. Mhaolaigh an ghaoth ar fad, agus faoin am ar bhaineamar béal an chuain amach bhí sé ina ghairdín calm. B'éigean na báid iomartha a chur i bhfarraige agus na maidí rámha a chur ag obair chun an long a tharraingt ar ceann téide isteach sa ghlaschuan taobh thiar d'Oileán na gCnámh. Thairg mé dul ar cheann de na báid, cé nach raibh aon ghnó agam ann, agus bhí na fir ar fad ag clamhsán sa teas. Fiú Handerson, a bhí i gceannas ar mo bhádsa, in áit srian a choinneáil ar an gcriú, is amhlaidh a bhí sé ag gearrán níos mó ná duine ar bith acu.

Lig sé rois mallachtaí as. 'Ní bheidh i bhfad eile ann,' ar sé.

Droch-chomhartha a bhí ansin, mar go dtí sin rinne an criú a gcuid oibre go toilteanach, ach ó chonaic siad an t-oileán ba chosúil go raibh siad ag imeacht ó smacht.

Ar an long, bhí Long John ina sheasamh le taobh an fhir stiúrach, agus threoraigh sé an long go díreach go dtí an spota ina raibh an t-ancaire ar an gcairt, thart ar shé chéad slat amach ón dá chladach — an tír mhór ar thaobh amháin agus Oileán na gCnámh ar an taobh eile. Gaineamh a bhí fúinn, agus chuir torann an ancaire púir éan in airde, ag fáinneáil is ag glaoch os cionn na coille. Ansin, taobh istigh de nóiméad, bhí gach rud ciúin arís.

Bhí an cuan timpeallaithe go hiomlán ag an talamh, agus na crainn ag fás síos go dtí an snáth mara. Bhí riasc ar thaobh amháin agus dath nimhneach buíghlas ar an bhfásra thart timpeall air. Ní raibh feiceáil ar bith ón long ar an teach ná ar an dúnfort, mar bhí siad folaithe go maith sna crainn, agus shílfeá gur muid an chéad dream a tháinig ar an áit ó cuireadh an t-oileán aníos as an bhfarraige. Tháinig boladh bréan chugainn ar an sáile.

Níl a fhios agam faoin órchiste,' arsa an dochtúir, 'ach déarfainn go bhfuil fiabhras amuigh ansin.'

Ba mheasa fós na fir nuair a tháinig siad ar ais ar bord. Sheas siad thart i ngrúpaí ar an deic agus iad ag cogarnach lena chéile, agus ba go míshásta a chomhlíon siad an t-ordú ba lú. Bhí atmaisféar na ceannairce ar an long.

Agus ní muid féin amháin a thug é sin faoi deara, bhí Long John ar a dhícheall ag dul ó ghrúpa go chéile, ag iarraidh deashampla a thabhairt agus aoibh gheal gháire air. Nuair a thugtaí an t-ordú, bhíodh John de phreab ar a mhaidí croise agus gach 'Maith go leor, a dhuine uasail!' ar a bhéal aige go toilteanach sásta. Agus, nuair nach raibh dada eile le déanamh, chanadh sé amhrán i ndiaidh amhráin, amhail is go raibh sé ag iarraidh míshásamh an chriú a cheilt.

Rinneamar ár gcomhairle sa chábán.

'A dhuine uasail,' arsa an captaen, 'má thugaim ordú eile, beidh an criú ar fad sa mhullach orainn. Má fhaighim aisfhreagra giorraisc agus má thugaimse freagra air sin, beidh sé ina éirí amach. Ach mura dtugaim freagra air, tuigfidh siad go bhfuil a fhios againn céard atá beartaithe acu. Táimid ag brath ar dhuine amháin.'

Agus cé hé sin?' a d'fhiafraigh an squire.

'Silver, a dhuine uasail,' a d'fhreagair an captaen. 'Tá sé féin ag iarraidh é seo a chiúnú ar a chúiseanna féin. Má fhaigheann seisean an deis, éireoidh leis na fir a cheansú. Is é atá á mholadh agamsa, na fir a ligean i dtír ar feadh an tráthnóna. Má théann siad ar fad i dtír beidh an long inár seilbh. Mura ngabhfaidh siad ar fad ann, cosnóimid an cábán — le cúnamh Dé! — go dtiocfaidh siad ar ais, agus geallaim duit go dtabharfaidh Silver ar ais iad agus iad chomh modhúil le huain chaorach.'

Socraíodh air sin, agus tugadh piostail amach dár ndaoine

féin. Míníodh an scéal do Hunter, don Seoigheach, agus do Redruth, agus ba léir nach raibh leath an oiread iontais orthu is a shíleamar, agus bhí fonn troda orthu ar fad. Labhair an captaen leis an gcriú ansin.

'A bhuachaillí,' ar sé, 'tá an lá meirbh agus tá tuirse orainn ar fad. Ní dhéanfaidh tamaillín i dtír aon dochar do dhuine ar bith — tá na báid fós san fharraige, agus féadfaidh duine ar bith atá ag iarraidh dul i dtír don tráthnóna é sin a dhéanamh. Scaoilfidh mé piléar leathuair roimh dhul faoi na gréine.'

Lig an slua gáir astu a bhain macalla as na cnoic agus a chuir na héin in airde arís agus iad ag glaoch amach go glórach.

D'fhan an captaen as an mbealach agus d'fhág sé faoi Silver an páirtí a eagrú, mar dá bhfanfadh sé ar deic ní fhéadfadh sé a ligean ar féin nár thuig sé céard a bhí ag titim amach. Ba léir, fad is a bhain sé leis an gcriú, gurbh é Silver a gcaptaen, agus d'eagraigh sé iad sa chaoi is go bhfanfadh seisear ar bord agus go ngabhfadh sé féin agus dáréag eile sna báid.

Ba ansin a bhuail an chéad cheann de mo chuid smaointe buile mé. Má d'fhág Silver seisear ar bord, bhí sé soiléir nach bhféadfadh ár ndaoine féin seilbh a ghabháil ar an long, agus nach mbeadh dóthain sa seisear sin chun na long a bhaint dínn féin. Mar sin, a cheap mé, ní bheadh mo chúnamhsa ag teastáil uathu. Shocraigh mé go ngabhfainn féin i dtír. I bhfaiteadh na súl, d'éalaigh mé anuas thar an tslat bhoird, agus shleamhnaigh mé go ciúin isteach faoi sheol canbháis ar an mbád ba ghaire dom, díreach agus muid ag brú amach.

Níor thug duine ar bith aird orm, cé is moite d'iomróir amháin a d'fhiafraigh an mé a bhí ann, agus a dúirt liom mo chloigeann a choinneáil síos.

Ach ghlaoigh Silver amach ón mbád eile, ag fiafraí an mise a bhí ann, agus tháinig aiféala orm.

Bhí sé ina rás idir an dá bhád an trá a bhaint amach, ach b'éadroime an bád ina raibh mise, agus thángamar i dtír i bhfad chun tosaigh ar an mbád eile. Nuair a bhuail tosach an bháid faoi na crainn a bhí ag fás amach thar an bhfarraige rug mé greim ar ghéag íseal agus tharraing mé mé féin aníos. Bhí mé ag rásaíocht isteach sna crainn agus Silver a glaoch orm ón gcladach.

'A Jim! A Jim!' a bhéic sé.

Ach choinnigh mé orm ag rith i ndiaidh mo mhullaigh an fhad is a d'fhéad mé.

14

An Chéad Bhuille

Bhí mé chomh sásta liom féin tar éis dom éalú ó Long John gur mhoilligh mé agus gur thosaigh mé ag breathnú i mo thimpeall. Thrasnaigh mé bogach a bhí lán le saileach agus le crainn aisteacha réisc, agus tháinig mé amach ar mhachaire réidh gainmheach cúpla míle ar leithead ina raibh roinnt giúise ag fás anseo is ansiúd ann, agus cúpla crann casta a bhí cosúil leis an dair, ó thaobh duilleoige de, ach a raibh dath liathghlas na sailí air. Ar m'aghaidh amach bhí ceann de na cnocáin, agus dhá mhullach garbh ag glioscarnach faoin ngrian.

Chuaigh mé siar agus soir i measc na gcrann, agus chonaic mé plandaí faoi bhláth. D'ardaigh nathair a ceann as strapa cloiche agus chuaigh sí ag siosarnach liom le torann a dhéanfadh caiseal gasúir. Ba bheag a thuig mé ag an am gur namhaid mhór don duine a bhí inti agus gurbh in é an ghliogarnach cháiliúil a dhéanadh sí.

Ansin tháinig mé ar dhoire beag ina raibh crainn mhóra leathana cosúil leis an dair — an dair thoilm, mar a chuala mé ráite ina dhiaidh sin — agus a ngéaga dlútha ag fás go híseal ar an talamh. Shiúil mé isteach faoi na crainn gur tháinig mé ar riasc a bhí lán le giolcach agus an Ghloine Féachana ar a chúl. Go tobann chuala mé torann sa ghiolcach agus d'éirigh lacha san aer, ansin lacha eile, agus ba ghearr go raibh an spéir lán leis na héin. Thuig mé uaidh sin go raibh mo chomhbhádóirí ag teacht i ngar dom, agus ba ghearr gur chuala mé monuar ciúin cainte ar thaobh an bhogaigh, agus é ag teacht níos gaire is níos gaire dom.

Chrom mé síos agus d'imigh mé ag lámhacán faoin dair ba ghaire dom agus d'fhan mé ansin gan cor asam.

D'fhreagair duine eile, agus d'aithin mé glór Silver, agus bhí an bheirt ag caint go tréan, nó fiú ag argóint, ach níor fhéad mé aon fhocal a dhéanamh amach. Nuair nach raibh na glórtha ag teacht níos gaire dom, agus na héin ag tuirlingt arís ar an riasc, thuig mé go raibh siad stoptha, agus thosaigh mé ag lámhacán i dtreo na nglórtha. Tar éis tamaill, d'ardaigh mé mo chloigeann agus chonaic mé Silver agus duine den chriú ina seasamh i bplásóg choille agus an ghrian ag scalladh anuas orthu. Bhí a hata caite ar an talamh ag Silver agus a lámh sínte amach aige chuig an duine eile.

'A chomrádaí,' ar sé, 'is mar go bhfuil an-mheas agam ort atá mé á rá seo leat. Tá sé ar fad socraithe — ní fhéadfaidh tú dada a athrú. Is ar mhaithe le do mhuineál atáimse ag labhairt leat, agus dá mbeadh a fhios ag an gcuid eile é, a Tom, céard a dhéanfaí liomsa?'

'A Silver,' arsa an fear eile — bhí sé dearg san aghaidh agus é chomh slóchtach le caróg, agus bhí creathán freisin ina ghlór. 'A Silver,' ar sé, 'tá cloigeann críonna ort, agus is duine cneasta thú, nó sin an cháil atá ort, agus tá airgead agat — rud nach bhfuil ag mórán mairnéalach — agus tá tú cróga, ach ní thuigim cén chaoi a ligfeadh tú don ghramaisc seo thú a thabhairt ar strae. Chomh cinnte is atá Dia ag breathnú anuas orm, dá dtabharfainn droim le mo dhualgas….'

Leis sin, chualathas torann i bhfad amach sa riasc. Búir feirge, ansin béic fhada uafáis. D'éirigh an macalla ó charraigeacha na Gloine Féachana, agus d'éirigh na céadta éan san aer. Baineadh preab as Tom. Níor thóg Silver an tsúil de.

'In ainm Dé céard a bhí ansin?'

'É sin?' arsa Silver. Bhí streill gháire air, agus an dá shúil ag stánadh roimhe. 'Ó, b'in Alan, cheapfainn.'

'Alan!' arsa Tom de bhéic. 'Grásta Dé ar a anam! Agus maidir leatsa, a John Silver, is fada tú i do chomrádaí agam, ach ní comrádaí liomsa níos mó thú. Má mharaítear mé, marófar mé agus mé i mbun mo dhualgais. Má mharaigh sibh Alan, maraígí mise mar a rinne sibh leis-sean.'

D'iompaigh an mairnéalach cróga a dhroim le Silver agus thosaigh sé ag siúl i dtreo an chladaigh. Rug John ar ghéag crainn, chroch sé a mhaide croise óna ascaill. agus theilg sé i ndiaidh an fhir é. Bhuail cois an mhaide croise Tom idir na slinneáin. Chaith sé a lámha in airde agus, le hosna, thit sé ar an talamh. Gan cois ná maide croise, bhí Silver sa mhullach air, agus a scian báite faoi dhó ina dhroim aige.

Leis sin d'airigh mé Silver agus an Ghloine Féachana agus na héin ag casadh i gceo i mo thimpeall, agus glórtha i gcéin ag glaoch i mo chluasa. Nuair a tháinig mé chugam féin bhí feadóg á séideadh ag Silver, agus chuimhnigh mé gurbh fhéidir go raibh sé ag cur fios ar a chuid fear, agus gurbh fhéidir go dtiocfaidís orm. Agus má bhí beirt fhear maraithe acu, Tom agus Alan, nach bhféadfaidís mise a mharú freisin?

Thosaigh mé ag lámhacán ar ais arís, chomh sciobtha is

chomh ciúin is a bhí mé in ann. Thart timpeall orm, chuala mé na bucainéirí ag glaoch ar a chéile agus, chomh luath is a tháinig mé amach as an scrobarnach coille, thosaigh mé ag rith ar mo mhíle dícheall. Ba chuma liom cén treo a ghabhfainn, ach imeacht ó na glórtha. Agus mé ag rith, bhí an faitíos ag breith orm. Nuair a scaoilfí an piléar tráthnóna, cén chaoi a bhféadfainn dul ar ais i measc na mairnéalach ar an trá? Nach gcasfadh an chéad fhear a d'fheiceadh mé mo mhuineál orm mar a dhéanfá le naoscach? Agus mura bhfillfinn ar an long, nach n-aithneofaí uaidh sin go raibh rud éigin ar eolas agam?

Bhí deireadh liom, a shíl mé. Céad slán leis an *Hispaniola*. Slán leis an squire, leis an dochtúir, agus leis an gcaptaen! Ní raibh i ndán dom ach bás den ocras nó mo dhúnmharú ag na ceannaircigh seo.

Gan fhios dom, agus mé ag rith, bhí mé tagtha chomh fada leis an gcnocán beag a raibh an dá mhullach air agus leis an gcuid sin den oileán ina raibh na crainn darach ag fás níos faide ó chéile, agus iad níos leithne is níos airde mar a bheadh crainn cheerta i bhforaois ann.

Ansin chuala mé torann a chuir an croí trasna orm.

15

Fear an Oileáin

Ar ghualainn gharbh an chnoic, thit cúpla cloch anuas le fána agus d'imigh ag preabadh trí na crainn. D'ardaigh mé mo cheann agus chonaic mé rud éigin ag léimneach go sciobtha taobh thiar de stoc crainn. Ní raibh a fhios agam an béar, fear nó moncaí a bhí ann, ach go raibh cuma chlúmhach dhorcha air. Rinneadh staic díom. Bhí mé i sáinn. Taobh thiar díom, bhí na dúnmharfóirí, agus os mo chomhair amach bhí an scáil seo ag fanacht liom. Agus, go deimhin, ba lú an faitíos a chuir Silver orm ná an púca seo sna crainn. Chas mé ar mo chois, thug súil siar thar mo ghualainn, agus thosaigh mé ag siúl ar ais i dtreo an chladaigh.

Ba ghearr go bhfaca mé arís é — é ag scinneadh leis ó chrann go crann, mar a bheadh fia ann — agus é ag iarraidh teacht idir mé agus an cladach. Chonaic mé anois gur fear a bhí ann. Cé go raibh sé cromtha, bhí sé ag imeacht ar dhá chois. Chuimhnigh mé ar na scéalta a chuala mé faoi chanablaigh, agus bhí mé ar tí glaoch amach ag iarraidh cúnaimh, nuair a thosaigh mé ag cuimhneamh ar Silver arís, ansin chuimhnigh mé ar mo phiostal agus tháinig misneach chugam. Thug mé aghaidh ar fhear an oileáin agus shiúil caol díreach ina threo. Nuair a chonaic sé ag teacht chuige mé, tháinig sé amach as na crainn chugam agus — rud a bhain siar asam — chaith sé é féin anuas ar a ghlúine ar an talamh.

Rinneadh staic díom. 'Cé thú féin?' a d'fhiafraigh mé de.

'Ben Gunn,' a d'fhreagair sé go slóchtach. 'Is mise Ben Gunn bocht, agus tá sé trí bliana ó labhair mé le haon duine baiste.'

Cé go raibh a chraiceann dóite ag an ngrian, chonaic mé gur fear bán a bhí ann — agus fear dea-chumtha, go deimhin. Bhí dhá shúil gheala ghorma ar lasadh ina éadan dubh dóite. Éadaí déanta as seanphíosaí stróicthe canbháis agus éadach loinge a bhí air — iad ceangailte dá chéile le cnaipí práis agus le téada — agus seanchrios mhairnéalaigh thart timpeall ar a choim.

'Trí bliana!' a deirimse. 'Ar briseadh do long anseo?'

'Níor briseadh, a chomrádaí,' ar sé. 'Marúnáilte a bhí mé.'

Bhí an focal cloiste cheana agam, agus thuig mé gur pionós uafásach a bhí ann a ghearradh bucainéirí ar a chéile. Chuirtí an duine a raibh pionós le gearradh air i dtír ina aonar ar oileán beag tréigthe, agus d'fhágtaí ann é.

'Fágadh anseo mé trí bliana ó shin,' ar sé, 'agus táim beo ar ghabhair ó shin, ar chaora na bplandaí agus ar oisrí. Ní bheadh písín beag cáise agat? Tá oícheanta caite agam ag brionglóidí faoi cháis.'

'Más féidir liom thú a thabhairt ar bord gheobhaidh tú neart cáise,' a deirimse.

I gcaitheamh an ama sin, bhí sé ag cuimilt an éadaigh orm agus ag breathnú ar mo bhróga agus ag breith ar mo lámha.

'Ach céard a stopfadh thú!' ar sé. 'Cén t-ainm atá ort?'

'Jim,' a dúirt mé.

'A Jim,' ar sé. 'Cé cheapfadh le breathnú orm go raibh máthair mhaith agam? Agus, a Jim,' ar sé arís, agus thug sé súil ina thimpeall agus labhair i gcogar, 'cé a cheapfadh go bhfuilim saibhir?'

Ba léir dó ón bhféachaint a thug mé air nár chreid mé é.

'Saibhir,' a dúirt sé arís. 'Anois, a Jim, inis an fhírinne dom: ní hin long Flint, an í?' a d'fhiafraigh sé.

'Ní hí,' a deirimse go sásta, mar thuig mé go raibh comhghuaillí aimsithe agam. 'Tá Flint básaithe — ach tá roinnt de sheanchriú Flint ar bhord na loinge sin — nár chuire Dia an t-ádh orthu.'

'Níl fear na leathchoise ann?' ar sé, go faiteach.

'Silver?' a d'fhiafraigh mé. 'Sin é an cócaire, agus ceannaire na buíne sin.'

'Más é Long John a chuir chugam thú,' ar sé, 'Tá mo chnaipe déanta.'

D'inis mé an scéal ar fad dó, agus nuair a bhí ráite agam leag sé a láimh anuas ar mo cheann.

'Is maith an buachaill thú, a Jim,' ar sé, 'agus tá sibh sáinnithe acu, nach bhfuil? Bhuel, bíodh muinín agat as Ben Gunn. Duine gnaíúil atá sa squire, nach ea?'

Dúirt mé leis gurbh ea.

'Ní post atá uaim,' arsa Ben Gunn, 'ná geata le coinneáil dó, agus culaith éide seirbhíse. Ach an mbeadh sé sásta míle punt a thabhairt dom as airgead — ar liom cheana féin é, bhí sé chomh maith agat a rá?'

'Táim cinnte go mbeadh,' arsa mise. 'Is é an socrú a bhí ann go mbeadh a chuid féin ag gach uile dhuine.'

'Agus bealach abhaile?' ar sé, go glic.

'Duine uasail atá sa squire,' a deirimse, 'agus nuair a bheimid réidh leis an gcuid eile beidh criú ag teastáil leis an long a sheoladh.'

'Tá an ceart ansin agat,' ar sé, 'ach inseoidh mé an méid seo duit. Bhí mise ar long Flint nuair a chuir sé an t-órchiste i bhfolach, é féin agus seisear mairnéalach láidre. Chaith siad seachtain ar an oileán, agus muidne ar ancaire sa *Rosualt*. Ansin, lá amháin, tháinig Flint ina aonar chugainn sa bhád iomartha agus scaif ghorm ar a chloigeann aige. Bhí an seisear maraithe agus curtha aige. Ba é Billí Bones an máta, agus Long John an máistir ceathrún, agus d'fhiafraigh siad de cá raibh an t-órchiste curtha aige. Níor inis sé dada dóibh.

'Bhuel, bhí mé ar long eile trí bliana ó shin, agus chonaiceamar an t-oileán. "A bhuachaillí," a deirimse. "Tá órchiste Flint ansin. Gabhfaimid sa tóir air." Ní raibh an captaen róshásta, ach cheadaigh sé do na fir dul i dtír. Dhá lá dhéag a chaitheamar á chuardach, agus iad ag éirí níos míshásta liom in aghaidh an lae. Ar deireadh, chuaigh siad ar ais ar bord. "Maidir leatsa, a Bhenjamin," ar siad. "Seo muscaed, spád agus piocóid, agus féadfaidh tú fanacht anseo go bhfaighidh tú ór Flint duit féin," ar siad. Agus táim anseo le trí bliana, a Jim, agus gan greim ceart ite agam ó shin.'

Chaoch sé an tsúil orm ansin, agus dúirt sé liom focal maith a chur isteach dó leis an squire.

'Tá sé sin maith go leor,' a deirimse, 'ach cén chaoi a rachaidh mé ar ais ar bord?'

'Tá báidín agamsa,' ar sé, 'a rinne mé féin. Tá sí coinnithe faoin gcarraig bhán agam.'

Leis sin, agus dhá uair an chloig go maith le dul aige roimh luí na gréine, scaoileadh piléar gunna móir a bhain macalla as an oileán ar fad.

'Tá an troid tosaithe!' arsa mise, agus d'imigh mé de rith i dtreo an chuain.

'Ar thaobh do láimhe clé,' a bhéic Ben Gunn i mo dhiaidh. 'Fan faoi na crainn ar thaobh do láimhe clé!'

Tamaillín ina dhiaidh sin chuala mé bloscadh piléar agus, ansin, thart ar ceathrú míle uaim, crochadh bratach na Ríochta os cionn na gcrann.

CUID A CEATHAIR
AN DÚNFORT

16

Scéal an Dochtúra:
Mar a Tréigeadh an Long

Bhí sé leathuair tar éis a haon — trí bhuille, mar a deirimid ar an bhfarraige — nuair a cuireadh an dá bhád iomartha i dtír. Bhí an scéal á phlé ag an gcaptaen, ag an squire, agus agam féin sa chábán. Dá mbeadh oiread is puth gaoithe ann d'fhéadfaimid an ceann is fearr a fháil ar na ceannaircigh a bhí fós ar bord, ancaire a chrochadh, agus seoladh amach ar an domhain. Ach, bhíomar sáinnithe agus, mar bharr ar an donas, tháinig Hunter chugainn le scéala go raibh Jim Hawkins tar éis éalú ar cheann de na báid.

Cé nach raibh amhras riamh orm faoi dhílseacht Hawkins, bhí faitíos orm go raibh sé i gcontúirt. In airde linn ar an deic. Bhí an seisear mairnéalach ag cogarnach eatarthu féin, agus bhíomar in ann an dá bhád a fheiceáil ar an gcladach — iad tugtha suas ar an trá, agus fear amháin fanta i ngach bád. Bhí duine acu ag feadaíl 'An Lile ba Léir é.'

Shocraíomar go ngabhfadh Hunter agus mé féin i dtír sa bháidín ar thóir faisnéise.

Bhí an dá bhád iomartha tugtha aníos ar an triomach ar thaobh na láimhe deise, ach choinníomar orainn siar tharstu sa treo ina raibh an dúnfort marcáilte ar an gcairt. Baineadh siar as an mbeirt a bhí ar garda nuair a chonaic siad ag teacht muid. Tháinig deireadh leis 'An Lile ba Léir é', agus chonaic mé iad ag fiafraí dá chéile céard a dhéanfaidís. Ba léir gur shocraigh siad gan dada a dhéanamh, agus ba ghearr go raibh siad ag portaireacht leo arís.

Bhí crompán beag amach romhainn, agus chuireamar i dtír in áit nach raibh amharc orainn ón dá bhád. Léim mé amach, mo chiarsúr síoda faoi mo hata agam le fuarú a thabhairt dom, agus mo dhá phiostal luchtaithe agus faoi réir.

Tar éis cúpla céad slat a shiúl thángamar ar an dúnfort. Is éard a bhí ann, teach a tógadh ar thobar fíoruisce gar do bharr chocáin. Bhí ballaí láidre adhmaid ar an teach, agus poill chosanta ann do mhuscaeid. Mórthimpeall air, bhí spás glanta agus sonnach adhmaid sé throigh ar airde thart timpeall air sin arís. Ní raibh doras ná fuinneog ar an sonnach, agus bhí amharc anuas air ón teach. Ní raibh aon fhoscadh sa sonnach d'aon dream a thabharfadh fogha faoin teach, agus go deimhin d'fhéadfadh lucht an tí caitheamh leo gan chontúirt dóibh féin. Ní bheadh uathu ach fear faire, neart armlóin agus bia, agus d'fhéadfaidís an áit a chosaint in aghaidh reisimint iomlán saighdiúirí.

Ba é an t-uisce an rud ba mhó a thaitin liom faoi, mar, cé go raibh an cábán ar an *Hispaniola* go breá, agus é lán le hairm is armlón, bia is fíon, ní raibh uisce ar bith againn. Ba ag cuimhneamh air sin a bhí mé nuair a chuala mé béic uafásach. Ní raibh mé dall ar mharú ná ar fhoréigean — chaith mé seal faoi cheannas an Diúic Chumberland agus cuireadh piléar ionam ag Fontenoy — ach bhain sé seo siar asam. 'Tá Jim Hawkins caillte,' a dúirt mé liom féin.

Bhí m'intinn socraithe agam. D'fhill mé ar an gcladach faoi dheifir agus shuigh mé isteach sa bhád beag. Fear maith iomartha a bhí i Hunter, agus ba ghearr go raibh mé ar bord an scúnair.

Bhí croitheadh bainte astu ar fad. Bhí an squire ina shuí, agus é chomh bán leis an bpáipéar, agus é ag cuimhneamh ar an mí-ádh a tharraing sé orainn ar fad, an créatúr! Bhí duine den seisear criú ann agus an bhail chéanna air.

'Sin fear,' arsa an Captaen Smollett, agus é ag breathnú ina threo, 'atá réidh le teacht ar ár dtaobh.'

D'inis mé mo phlean don chaptaen, agus chuamar i mbun oibre. Chuireamar Sean-Redruth sa chocús — idir an cábán agus an caiseal tosaigh — agus trí nó ceithre muscaed luchtaithe agus tocht leapa mar chosaint aige. Thug Hunter an báidín thart faoi phost na loinge agus líon an Seoigheach í le cannaí púdair, muscaeid, mála brioscaí, ceaigeanna bagúin, agus mo chófra leighis. Agus d'fhan an squire agus an captaen ar an deic. Ghlaoigh an captaen ar an liagóir, an mairnéalach ba shinsearaí ar bord.

'A Iosraeil Hands,' ar sé, 'tá beirt againn anseo agus dhá phiostal an duine againn. Má dhéanann duine ar bith den seisear agaibh comhartha de chineál ar bith marófar é.'

Baineadh siar astu.

Tar éis beagán cogarnaí, d'imigh an seisear acu síos faoin deic tosaigh, ach nuair a chonaic siad Redruth ag fanacht leo chúlaigh siad go dtí an caiseal tosaigh.

Luchtaíomar an báidín, agus rinne mé féin agus an Seoigheach ar an gcladach agus muid ag iomramh ar ár míle dícheall. Chuir na fairtheoirí ar an gcladach an-spéis ionainn an uair seo. Tháinig deireadh leis 'An Lile ba Léir é' agus d'imigh duine díobh de rith intíre.

Thugamar an bád i dtír san áit chéanna, agus d'iompraíomar ár gcuid stórais chomh fada leis an dúnfort. Chaitheamar thar an sonnach iad, d'fhágamar an Seoigheach ar dualgas garda — agus sé mhuscaed aige — agus d'fhill mé féin agus Hunter ar an mbád chun an méid a bhí fanta a thabhairt linn. Nuair a bhí an stóras ar fad sa dúnfort, d'fhág mé an bheirt ann agus chuaigh mé féin ag iomramh ar ais go dtí an *Hispaniola*.

Luchtaíomar an dara bád ansin. Cé go mba líonmhaire go mór iadsan ná muidne, ní raibh aon mhuscaed ag an dream a bhí tagtha i dtír, agus mheasamar go mbeadh seisear nó seachtar caite againn sula dtiocfaidís i raon piostail. Le cúnamh an squire, líon mé an bád le bagún, púdar, agus brioscaí, agus le muscaed agus claíomh an duine dom féin, don squire, do Redruth agus don chaptaen. Chaitheamar an chuid eile de na hairm agus den phúdar thar bord, agus bhíomar in ann an miotal a fheiceáil ag glioscarnach sa ghaineamh dhá feá go leith thíos fúinn.

Agus an taoide ag ardú arís, chualamar glórtha ón dá bhád ar an gcladach. Shuigh mé féin agus Redruth sa bhád ag fanacht ar an gcaptaen. Sheas an captaen ag an tslat bhoird agus labhair sé os ard le go gcloisfeadh na fir sa chaiseal tosaigh é.

'An gcloiseann sibh mé?' ar sé.

Níor tháinig aon fhreagra ón gcaiseal.

'Is leatsa, a Abrahám Grae, atá mé ag labhairt.'

Níor tugadh aon fhreagra air.

'A Ghrae,' arsa an tUasal Smollett, 'táim ag fágáil na loinge, agus ordaím duit do chaptaen a leanúint. Tá a fhios agam gur fear maith thú i ndáiríre. Tá m'uaireadóir anseo i mo láimh agam agus táim ag tabhairt tríocha soicind duit teacht amach.'

Chualathas torann, agus buillí, ansin phléasc Abrahám Grae

amach agus gearradh scine ar a leiceann, agus tháinig sé ag rith chuig an gcaptaen.

'Táimse leat, a dhuine uasail,' ar sé.

Dhreap an bheirt anuas go dtí an báidín agus bhrúmar amach.

17

Scéal an Dochtúra (ar lean):
Turas Deireanach an Bháidín

Bhí an báidín róluchtaithe, agus an ghunail á cur faoi uisce. Cúigear againn a bhí inti, agus triúr againn — Trelawney, Redruth, agus an captaen — os cionn sé troithe ar airde. Chomh maith leis sin bhí an púdar, an bagún, agus na málaí brioscaí inti.

Sula rabhamar imithe céad slat ón long, bhí mo chuid éadaigh báite, agus gan duine ar bith in ann corraí ar fhaitíos go gcuirfeadh sé an bád faoi uisce. Anuas air sin, bhí an taoide ag casadh, agus sruth láidir dár dtabhairt i dtreo na háite ina raibh an dá bhád ar an gcladach ag na foghlaithe mara — agus an baol ann i gcónaí go dtiocfaidís amach ar an trá romhainn!

'Nílim in ann í a choinneáil ar cúrsa, a dhuine uasail,' arsa mise leis an gcaptaen. Ba mé a bhí ar an halmadóir, agus bhí Redruth agus é féin ag iomramh. 'Tá an taoide ár dtabhairt anoir. An bhféadfaidh sibh luí isteach níos mó ar an maidí?'

'Ní fhéadfaidh, a dhuine uasail,' ar sé. 'Tá baol ann go mbáfaimid í.'

'Ní bhainfimid an crompán amach go deo ar an gcaoi seo,' arsa mise.

'Tá an taoide ag lagú, a dhuine uasail,' arsa Grae, agus é suite chun tosaigh.

'Go raibh maith agat,' a deirimse, amhail is nach raibh dada tite amach, mar bhí sé socraithe againn caitheamh leis mar dhuine dínn féin.

Labhair an captaen go borb. 'An gunna!' ar sé.

'Chuimhnigh mé air sin,' a deirimse, mar shíl mé gur ag caint ar ionsaí ar an dúnfort a bhí sé. 'Ní éireoidh leo an gunna a thabhairt i dtír, agus dá n-éireodh féin, ní éireodh leo é a tharraingt tríd an gcoill.'

'Breathnaigh taobh thiar díot, a dhochtúir,' arsa an captaen.

Ar deic na loinge, bhí an cúigear ag baint an chlúdaigh den ghunna mór. Chuimhnigh mé ansin gur fhágamar na piléir mhóra agus púdar an ghunna inár ndiaidh, agus gur leor buille tua chun iad a chur i lámha na mbithiúnach.

'Ba é Iosrael gunnadóir Flint,' arsa Grae go slóchtach.

Dhíríomar an bád ar an gcladach, ach bhíomar chomh fada sin as cúrsa go raibh taobh an bháid iompaithe i dtreo an *Hispaniola*, agus deis bhreá ag na gunnadóirí orainn.

Chuala mé piléar mór á leagan anuas ar an deic.

'Cé hé an fear gunna is fearr anseo?' a d'fhiafraigh an captaen.

'An tUasal Trelawney, go mór fada,' a deirimse.

'A Threlawney uasail, an gcaithfidh tú duine de na fir sin dom? Hands, más féidir ar chor ar bith é,' arsa an captaen.

Luchtaigh Trelawney a ghunna.

'Go réidh leis an ngunna, dhuine uasail,' arsa an captaen, 'nó báfaidh tú an bád. Bíodh sibh réidh leis an mbád a cheartú nuair a scaoilfidh sé.'

D'ardaigh an squire a ghunna, ligeadh leis na maidí rámha,

agus shíneamar muid féin sa treo eile chun an bád a choinneáil cothrom.

Bhí an gunna á dhíriú acu orainn faoin am seo, agus bhí Hands le feiceáil go soiléir againn agus an piléar á chur i mbéal an ghunna aige. Ach díreach agus an muscaed á scaoileadh ag Trelawney, chrom Hands, chuaigh an piléar thairis, agus thit duine eile den chúigear.

Bhéic an fear, agus ní hamháin gur lig a chuid comrádaithe béic ina dhiaidh, ach ardaíodh béiceacha ar an gcladach agus na foghlaithe mara eile ag teacht amach as na crainn agus ag cur chun farraige i gceann de na báid.

'Níl ach bád amháin ag cur chun farraige, a dhuine uasail,' a deirimse. 'Is dóigh go bhfuil an dara criú ag déanamh a mbealach timpeall le cósta le teacht romhainn ar an gcladach.'

'Ní hiad siúd atá ag déanamh imní dom, a dhuine uasail,' a d'fhreagair an captaen, 'ach an gunna mór. Inis dúinn, a squire, nuair a fheicfidh tú an maiste á lasadh, agus báfaimid an báidín.'

Ní rabhamar ach tríocha nó ceathracha buille amach ón trá, agus rinn chladaigh curtha idir muid agus an bád iomartha. Bhí an taoide, a chuir an oiread moille orainne ar dtús, casta anois, agus í ag cur moille orthu siúd. Ní raibh ag déanamh imní dúinn ach an gunna mór.

'Déanfaidh mé iarracht fear eile a chaitheamh,' arsa an captaen.

Ach ní raibh an t-am ann, bhí an ceathrar ar a mbionda ag iarraidh an gunna a dhíriú orainn.

'Faoi réir!' a bhéic an squire.

'Anois!' a bhéic an captaen.

Chaith mé féin agus Redruth muid féin siar in éineacht agus cuireadh cúl an bháid faoi uisce. Chualamar an gunna mór ag an bpointe céanna, agus chaithfeadh sé go ndeachaigh an piléar mór tharainn. Chuaigh an bád faoi i dtrí troithe uisce. Caitheadh an triúr eile i bhfarraige, agus tháinig siad aníos agus iad ag casacht.

Ní raibh aon dochar déanta, agus shiúlamar i dtír go sábháilte. Ach bhí an stór bia is púdair báite, agus níor fhan ach dhá ghunna gan fhliuchadh as na cúig mhuscaed a bhí againn. D'ardaigh mé mo ghunna féin os mo chionn gan smaoineamh, agus bhí sé de chiall ag an gcaptaen a ghunna féin a bheith ar chrios thar a ghualainn aige, agus an glas in uachtar aige. Cailleadh na trí ghunna eile in éineacht leis an mbád agus, mar bharr ar an mí-ádh, chualamar glórtha ag teannadh linn sna crainn.

Le faitíos go mbéarfaí orainn gan chosaint san uisce, nó go raibh ionsaí á bheartú ar Hunter agus an Seoigheach sa dúnfort, dheifríomar i dtír agus níos lú ná leath an bhagáiste againn.

18

Scéal an Dochtúra (ar lean): Deireadh leis an gCéad Lá Troda

D'imíomar chomh maith is a bhí inár gcosa tríd an gcoill a bhí idir muid agus an dúnfort, agus glórtha na mbucainéirí ag teacht níos gaire is níos gaire dúinn an t-am ar fad. Ba ghearr go rabhamar in ann iad a chloisteáil ag brú a mbealach trí na géaga.

'A chaptaein,' a deirimse, 'is é Trelawney an gunnadóir is fearr. Tabhair do ghunna dó. Tá a cheann féin as feidhm.'

Mhalartaigh siad gunnaí, agus sheas Trelawney agus bhreathnaigh ina thimpeall. Nuair a chonaic mé nach raibh airm ag Grae, shín mé mo chlaíomh chuige. Fhliuch sé a bhos le seile, chuir sé muca ar a mhalaí, agus bhain fead as an gclaíomh san aer.

Cúpla scór slat níos faide agus thángamar ar an dúnfort. Díreach agus muid ag teacht ar an láthair, tháinig seachtar de na ceannaircigh amach as na crainn, faoi cheannas an bhósain Job Handerson. Baineadh stangadh astu nuair a chonaic siad muid agus, sular tháinig siad chucu féin, bhí deis agam féin agus an squire, chomh maith le Hunter agus an Seoigheach sa dúnfort, scaoileadh leo. Thit duine díobh, agus d'éalaigh an chuid eile isteach sna crainn. Tar éis dúinn ár gcuid gunnaí a luchtú, shiúlamar chomh fada leis an bhfear a bhí tite. Bhí sé chomh marbh le hart, agus piléar trína chroí. Leis sin scaoileadh piostal sa choillearnach agus thit Tom Redruth ina chnap ar an talamh. Scaoil mé ar ais isteach sna crainn, agus faoin am ar tháinig mé chomh fada le Redruth, chonaic mé an captaen agus Grae cromtha os a chionn, agus thuig mé go raibh a chosa nite.

Chrochamar an seanmhaor seilge thar an sonnach agus d'iompraíomar isteach sa teach é, agus é ag geonaíl agus ag cur fola go tréan. Leagamar an seanfhear anuas ar urlár an tí. Chuaigh an squire ar a ghlúine lena thaobh agus phóg sé a láimh, agus na deora ag rith leis.

'An bhfuilim réidh, a dhochtúir?' a d'fhiafraigh sé.

'A Tom, a chara liom,' a deirimse, 'tá tú ag dul abhaile.'

'Tá aiféala orm nach bhfuair mé mo dheis orthu le mo ghunna,' ar sé.

Dúramar paidir os a chionn ansin agus, go gairid ina dhiaidh sin, cailleadh é.

Níorbh fhaillí leis an gcaptaen é. Bhí a chuid pócaí lán le gach uile mhíle ní a thug sé leis ón long — bratach, bíobla, rópa, peann, dúch, dialann loinge, agus cúpla punt tobac. Tháinig sé ar charcair ghiúise taobh istigh den sonnach, chuir sé suas í in aghaidh choirnéal an tí, dhreap sé in airde ar an díon, agus chroch sé an bhratach. Chuaigh sé ag comhaireamh gach a raibh sa stóras ansin agus, nuair a cailleadh Tom, leag sé amach an dara bratach air.

'Ná goilleadh sé ort, a dhuine uasail,' ar sé, agus chroith sé lámh leis an squire. 'Tá sé in áit mhaith anois.'

Thug sé mise de leataobh. 'A Dhochtúir Livesey,' ar sé, 'cén fhad eile go dtiocfaidh cabhair chugainn?'

'Cúpla mí,' arsa mise leis.

'Níl an scéal go maith, mar sin. Tá neart púdair agus piléar againn, ach táimid fíorghann i mbia.'

Chuireamar Hunter agus an Seoigheach amach ar patról, agus tháinig siad ar ais le scéala ó na foghlaithe mara. Faoi cheannas Silver, bhí an bagáiste a cailleadh san fharraige á thabhairt i dtír acu, agus bhí muscaed an duine acu anois — muscaeid a tháinig as ciste rúnda éigin dá gcuid féin.

Nuair a bhí an méid sin cloiste aige, shuigh an captaen agus bhreac sé síos nóta ina leabhar. Seo mar a bhí: Alastar Smollett, máistir; David Livesey, dochtúir loinge; Abrahám Grae, máta an tsiúinéara; John Trelawney, úinéir; John Hunter agus Risteard Seoighe, searbhóntaí an úinéara — a bhfuil fanta de chriú na loinge — agus dóthain deich lá ar chionroinnt ghearr, a tháinig i dtír ar Oileán an Órchiste ar an lá seo. Thomas Redruth, searbhónta an úinéara, caite ag na ceannaircigh; James Hawkins, buachaill loinge....

Agus leis sin, chualamar béic ó na crainn.

'Tá duine éigin ag glaoch orainn,' arsa Hunter agus é ar garda.

'A Dhochtúir! A Squire! A Chaptaein! Hóra, a Hunter, an tú atá ann?'

Rith mé chomh fada leis an doras go bhfeicfinn Jim Hawkins, ina steillbheatha, agus é ag dreapadh anuas thar an sonnach.

19

Jim Hawkins i mBun an Scéil arís: Garastún an Dúnfoirt

Chomh luath is a chonaic Ben Gunn an bhratach sheas sé. 'Sin iad do chairde,' ar sé.

'Is mó seans gurb iad na ceannaircigh atá ann,' a deirimse.

'In áit mar seo, sílim go gcrochfadh Silver Bratach na gCnámh. Sin iad do chairde, gan dabht, agus déarfainn go raibh sé ina throid ann, agus go bhfuil do chairde sa seandúnfort sin a thóg Flint na blianta fada ó shin.'

Bhuail sé sonc orm. 'Agus nuair a bheidh Ben Gunn ag teastáil,' ar sé, 'tá a fhios agatsa cá dtiocfaidh tú air, a Jim. San áit a chonaic tú inniu mé. Agus tugadh an té atá do m'iarraidh rud éigin bán leis ina láimh, agus tagadh sé ina aonar.'

'Déarfaidh mé leo,' a deirimse, 'go bhfuil rud éigin le plé agat leis an squire nó leis an dochtúir.'

'Am ar bith ón meán lae go dtí na sé bhuille. Ní dhéanfaidh tú dearmad? Agus má chastar Silver ort, ní dhéarfaidh tú dada leis?'

Leis sin, chualamar an pléascadh, agus tháinig piléar gunna móir ag stróiceadh trí na crainn gur thit sa ghaineamh leathchéad slat uainn. D'imigh an bheirt againn de rith i dhá threo éagsúla.

Lean na gunnadóirí ag caitheamh leis an dúnfort ar feadh uair an chloig nó mar sin, agus na piléir ag teacht anuas sna crainn in aice liom, agus ní raibh sé de mhisneach agam aghaidh a thabhairt ar an dúnfort go dtí gur stop siad.

Bhí an ghrian imithe faoi, agus bhí gaoth bhog ón bhfarraige ag corraí na ngéag agus ag ardú tonnta beaga sa chuan. Bhí sé ina lag trá agus stráicí móra den ghaineamh le feiceáil, agus bhí an tráthnóna iompaithe fuar. D'fhan an *Hispaniola* ar ancaire san áit ar fhágamar í, agus Bratach na gCnámh — bratach dhubh na bhfoghlaithe mara — ar foluain ar an gcrann. Fiú agus mé ag breathnú, chonaic mé scal dhearg agus chuala pléascadh eile agus macalla sna cnoic, agus tháinig piléar eile ag feadaíl tríd an aer. B'in an piléar deireanach.

Bhí fir ar an trá i ngar don dúnfort, iad ag briseadh an bháid bhig le tuanna — níor thuig mé cén fáth go dtí ina dhiaidh sin. Agus sna crainn i ngar do bhéal na habhann, bhí sé ina bhladhmsach mhór thine. Agus idir an trá sin agus an long bhí bád ag teacht is ag imeacht. Ní raibh aon ghruaim ar na fir iomartha níos mó, ach iad ag fógairt ar chéile mar a dhéanfadh páistí, agus bhraith mé ar a nglórtha go raibh braon den rum ólta acu.

Ar deireadh, bhí mé ag cuimhneamh ar fhilleadh ar an dúnfort, agus mé thíos ar an nguaire gainimh a shíneann amach go hOileán na gCnámh nuair a chonaic mé uaim moghlaeir mór bán agus í ina seasamh aisti féin ar an gcósta, agus mheas mé gurbh fhéidir gurbh in í an chloch bhán a raibh Ben Gunn ag trácht air nuair a bhí sé ag caint ar a churachán.

Rinne mé mo bhealach ar ais trí na crainn gur tháinig mé

ar an dúnfort ón taobh intíre, agus cuireadh fáilte mhór romham.

Agus mo scéal á insint agam, thug mé súil i mo thimpeall. Ba as lomáin mhóra péine a rinneadh an teach — idir dhíon, bhallaí agus urlár — agus bhí an t-urlár troigh nó troigh go leith os cionn an ghainimh. Bhí póirse ag an doras, agus faoin bpóirse sin bhí tobar fíoruisce. Aníos trí phota mór loinge, a raibh an tóin bainte as agus a bhí báite sa ghaineamh, a d'éirigh an t-uisce. I gcúinne amháin sa teach bhí an teallach, leac chloiche ar an urlár, agus seanchiseán meirgeach iarainn ina lastaí an tine.

Ní raibh fanta de na crainn thart timpeall ar an dúnfort ach na stocáin sa ghaineamh, agus san áit ina raibh an srutháinín beag ag titim le fána ón tobar bhí caonach agus raithneach ag fás. Agus thart timpeall air sin arís bhí an choill mhór dhlúth — péin ar fad ar an taobh intíre, agus dair ar thaobh na farraige.

Shéid an ghaoth trí gach uile pholl sa teach, ionas go raibh gaineamh ar an urlár, gaineamh inár gcuid súl, agus gaineamh inár gcuid fiacla. Ní simléar ach poll a bhí sa díon, agus ní dheachaigh ach cuid bheag den deatach amach. Bhí an chuid eile ag guairneáil timpeall an tí agus muid ag casacht is ag cuimilt na súl. Anuas air sin, bhí bindealán ar éadan Ghrae, an fear nua, mar gheall ar an ngearradh a fuair sé ó na ceannaircigh, agus bhí Tom Redruth bocht leagtha amach le taobh an bhalla, faoin mbratach.

Roinn an Captaen Smollett ina dhá dhíorma garda muid, an dochtúir agus Grae agus mé féin i gceann amháin, agus an squire, Hunter, agus an Seoigheach sa cheann eile. Cuireadh beirt amach ag iarraidh adhmaid tine, beirt eile ag tochailt uaigh do Redruth, cuireadh an dochtúir i mbun cócaireachta, cuireadh mise i mo gharda ar an doras, agus chuaigh an captaen féin thart orainn ar fad.

'Cén sórt é an Ben Gunn seo?' a d'fhiafraigh an dochtúir díom.

'Níl a fhios agam, a dhuine uasail,' arsa mise. 'Níl mé cinnte go bhfuil sé ar a chiall.'

'Tar éis dó trí bliana a chaitheamh ar oileán tréigthe,' arsa an dochtúir, 'is beag seans go bhfuil. Ach tá tóir aige ar cháis?'

'Tá, a dhuine uasail,' a d'fhreagair mé.

'Bhuel, a Jim,' ar sé, 'chonaic tú mo bhosca snaoisín, nach bhfaca? Agus ní fhaca tú riamh mé á thógáil, mar ní snaoisín atá ann ach píosa cáise Parmesan — as an Iodáil, an-fholláin. Bhuel, tabharfaimid é sin do Bhen Gunn!'

Chuireamar Tom bocht roimh am suipéir, agus sheasamar tamall thart ar an uaigh. Ansin, nuair a bhí ár gcuid bagúin ite againn, agus bolgam graig ólta againn, shuigh na trí thaoiseach sa chúinne chun pleananna a réiteach.

Tharla go rabhamar gann i mbia, ba é an plean ab fhearr, a shocraigh siad, na bucainéirí a mharú ina nduine is ina nduine nó go stríocfaidís Bratach na gCnámh — sin, nó go n-imeoidís leo ar an *Hispaniola*. Ní raibh fanta den naoi nduine dhéag a bhí acu ar dtús ach cúig dhuine dhéag — agus beirt acu sin gortaithe. Anuas air sin bhí beirt eile ag obair ar ár son — rum agus an aimsir. Go deimhin, bhíomar in ann iad a chloisteáil ag gárthach is ag gabháil fhoinn go deireanach san oíche, agus ba é tuairim an dochtúra é dá bhfanfaidís ina gcampa sa riasc go dtolgfaidís an fiabhras agus go mbeadh a leath sínte taobh istigh de sheachtain.

'Mura gcaitear iad,' ar sé, 'beidh siad breá sásta imeacht leo sa scúnar. Bheidís in ann filleadh ar an bhfoghlaíocht mhara.'

'An chéad long a chaill mé,' arsa an Captaen Smollett.

Chodail mé go maith an oíche sin, agus bhí an chuid eile ina suí an mhaidin dar gcionn, agus a mbricfeasta ite acu nuair a dhúisigh glórtha mé.

'Bratach shíochána!' a chuala mé duine éigin ag rá, agus ansin, 'Is é Silver féin atá ann!'

Agus leis sin, léim mé i mo sheasamh, agus rith mé chuig poll faire sa bhalla.

20

Ambasáid Silver

Bhí beirt fhear taobh amuigh den dúnfort, duine acu a raibh bratach bhán crochta aige, agus Silver féin lena thaobh. Bhí sé fós ina mhaidin mhoch, agus bhí goimh fhuachta ann. Ní raibh scamall ar an spéir agus bhí an ghrian ag scalladh ar bharra na gcrann. Sheas Silver agus a leifteanant sa scáil i gceo íseal mhífholláin an chriathraigh.

'Fanaigí istigh, a fheara,' arsa an captaen. 'Seans gur cleas é seo.' Ghlaoigh sé amach. 'An baol dúinn sibh? Seasaigí, nó scaoilfimid!'

'Brat síochána,' a bhéic Silver.

Sheas an captaen sa phóirse. 'An Dochtúir Livesey ar an taobh ó thuaidh; Jim, an taobh thoir; Grae, an taobh thiar. Muscaeid faoi réir.' D'iompaigh sé chuig na ceannaircigh. 'Céard atá uaibh?' ar sé de bhéic.

Is é an dara fear a d'fhreagair. 'An Captaen Silver, a dhuine uasail, ag teacht ar bord chun téarmaí síochána a phlé.'

'An Captaen Silver! Cé hé sin?' a bhéic an captaen.

Is é Long John a d'fhreagair. 'Mise, a dhuine uasail. Thogh na créatúir bhochta seo mé i mo chaptaen orthu, tar éis duit muid a thréigean, a dhuine uasail.

'Táimid sásta dul faoi do choimirce, a chaptaein, agus níl uainn ach d'fhocal go ligfear amach arís muid agus go dtabharfar nóiméad dúinn imeacht arís sula gcaithfidh sibh linn.'

'Níl aon fhonn ormsa labhairt leat,' arsa an Captaen Smollett, 'ach má tá tá tusa ag iarraidh labhairt liomsa, féadadh tú teacht chomh fada linn má thograíonn tú. Ach má bhíonn feall ann, is ó do thaobh a bheidh sé, agus go bhfóire Dia oraibh.'

'Sin é mo dhóthain, a chaptaein,' a scairt Long John amach. 'Is leor focal ó dhuine uasail.'

Ba léir go raibh fear na brataí ag iarraidh é a choinneáil siar, ach rinne Silver gáire faoi seo. Tháinig sé chomh fada leis an sonnach, chaith sé a mhaide croise thairis, agus, le tréaniarracht, d'éirigh leis é féin a a tharraingt in airde thar an sonnach agus titim go sábháilte ar an taobh istigh.

D'éalaigh mé aníos go bhfaighinn amharc níos fearr ar Silver. D'fhan an captaen suite ar thairseach an tí, a dhá uillinn ar a ghlúine, é ag breathnú ar an uisce ag éirí aníos as an seanphota sa ghaineamh, agus é ag feadaíl leis féin. Bhí Silver ar a mhíle dícheall, ag iarraidh a bhealach a dhéanamh chomh fada leis. Bhí an cnocán an-rite agus bhí a mhaide croise á bhá sa ghaineamh bog. Ach choinnigh sé air gur tháinig sé os comhair an chaptaein agus gur bheannaigh sé dó. Bhí a chóta maith gorm air, é lán le cnaipí práis, agus bhí hata breá air agus é maisithe le lása.

'Tharla go bhfuil tú anseo,' arsa an Captaen Smollett, 'bhí sé chomh maith agat suí.'

'Ní ligfidh tú isteach mé, a chaptaein?' arsa Long John. 'Tá an mhaidin an-fhuar, a dhuine uasail.'

'Dá mba dhuine macánta thú, a Silver,' arsa an captaen,

'bheifeá i do shuí i do chocús ar an long. Tú féin is ciontaí. Mura tú mo chócaire loinge, is tú an Captaen Silver, ceannairceach agus foghlaí mara, agus crochfar thú!'

'Tá sé seo go breá,' arsa an cócaire loinge, agus shuigh sé ar an ngaineamh, 'agus is deas an áit í seo agaibh. Á! Sin é Jim! Bail ó Dhia ort, a Jim.'

'Má tá rud éigin le rá agat, abair é,' arsa an captaen.

'Maith go leor, a Chaptaein Smollett,' a d'fhreagair Silver. 'Chosain sibh sibh féin go maith aréir. Admhaím gur bhain sibh siar asainn, agus sin é an fáth go bhfuilim anseo anois. Agus an rud a rinne sibh aréir, ní dhéanfaidh sibh arís. Beidh fear faire ar dualgas as seo amach, agus beimid á thógáil go réidh ar an rum. Ach ní póit a bhí ormsa, ach tuirse, agus deirimse libh, dá mbeinn i mo shuí nóiméad níos luaithe bheadh beirthe oraibh. Ní raibh sé marbh nuair a tháinig mise air.'

'Nach raibh?' arsa an Captaen Smollett, gan dada a ligean air féin.

Níor thuig an captaen céard faoi a raibh Silver ag caint. Bhí tuairim agam féin. Chuimhnigh mé ar Bhen Gunn, agus mheas mé gur thug sé cuairt oíche ar na bucainéirí agus iad ar meisce thart timpeall na tine. Mheas mé nach raibh ach ceithre dhuine dhéag fanta anois acu.

'Bhuel, seo mar atá,' arsa Silver. 'Tá an t-órchiste uainn, agus beidh sé againn — agus sin é é! Bheadh sibhse sásta bhur gcosa a thabhairt libh. Tá cairt agat, nach bhfuil?'

'B'fhéidir go bhfuil,' a d'fhreagair an captaen.

'Ó, tá a fhios agam go bhfuil,' arsa Long John.

Thosaigh an captaen ag líonadh a phíopa. 'Tá a fhios againne go díreach céard a bhí beartaithe agaibh a dhéanamh linne,' ar sé, 'agus ní dhéanfaidh sibh anois é.'

'Má dúirt Áb Grae....' arsa Silver.

'Níor inis Grae dada dom,' arsa an tUasal Smollett, 'agus níor fhiafraigh mé dada de.'

Líon Silver a phíopa féin agus shuigh an bheirt go ciúin ar feadh scaithimh, ag caitheamh tobac.

'Má thugann tusa an chairt dúinn, agus má stopann tú ag caitheamh le mairnéalaigh bhochta agus á marú ina gcodladh,' arsa Silver, 'tabharfaimid rogha daoibh. Tagaigí ar bord linne, nuair a bheidh an t-órchiste ar an long agus, ar m'fhocal, tabharfaimid go calafort sábháilte sibh. Nó, má tá faitíos oraibh roimh na mairnéalaigh, féadfaidh sibh fanacht anseo. Roinn-fimid an stór bia libh, agus cuirfimid an chéad long a fheicfimid ar bhur dtriall. Céard a déarfá leis sin?'

D'éirigh an Captaen Smollett agus bhain sé an luaithe as a phíopa. 'Ab in é é?' a d'fhiafraigh sé.

'Sin é é, in ainm Chroim!' a d'fhreagair John. 'Glac leis sin anois nó beidh sé ina bháire fola!'

'Tá go maith,' arsa an captaen. 'Éist go maith liomsa anois. Má thagann sibh chugam, ina nduine is ina nduine, gan airm, geallaim duit go gcuirfidh mise slabhraí oraibh agus go dtabharfaidh mé ar ais abhaile sibh le seasamh os comhair cúirte. Níl sibh in ann teacht ar an órchiste. Níl sibh in ann an long a sheoladh. Níl sibh in ann muid a throid — d'éirigh le Grae éalú ó chúigear agaibh! Agus sin a bhfuil le rá agam leat. An chéad uair eile a fheicfidh mé thú cuirfidh mé piléar i do dhroim. Anois, gread leat as seo.'

Bhí a dhá shúil ag leathadh ar Silver agus é ag athrú dathanna. Thug sé croitheadh dá phíopa.

'Tabhair dom láimh chúnta!' a scairt sé.

'Ní thabharfaidh,' a d'fhreagair an captaen.

'Cé a thabharfaidh láimh dom?' a bhéic sé.

Níor chorraigh duine ar bith.

D'imigh sé ag lámhacán ar an ngaineamh go bhfuair sé greim ar chuaille an phóirse agus chroch sé é féin aníos ar a mhaide croise.

Chaith sé smugairle sa tobar. 'Taobh istigh d'uair an chloig beidh an teach seo ina chaor thine againn. Bígí ag gáire, más maith libh, ach faoi cheann uair an chloig ní sibh a bheidh ag gáire. Aon duine agaibh a bheidh beo an uair sin, beidh sé ag impí orm é a mharú!

Agus le mallacht ghránna, d'imigh sé leis ag treabhadh tríd an ngaineamh agus, le cúnamh ó fhear na brataí, dhreap sé thar an sonnach, agus d'éalaigh sé go sciobtha isteach sna crainn.

21

An tIonsaí

Chomh luath is a d'imigh Silver chas an captaen thart agus ní bhfuair sé aon duine ag a áit faire ach Grae amháin. Ní fhaca mé chomh feargach riamh é. 'Ar dualgas!' a bhéic sé.

D'fhilleamar ar fad ar ár n-áit faire, 'A Ghrae,' ar sé, 'cuirfidh mé d'ainm sa leabhar. Rinne tú do dhualgas mar a dhéanfadh mairnéalach. A Threlawney, a dhuine uasail, tá díomá orm. A dhochtúir, shíl mé go raibh seal caite agatsa i seirbhís an rí! Más mar sin a bhí sibh ag Fontenoy, a dhuine uasail, bheifeá níos fearr as i do leaba.'

Bhí na fir faire ar ais ag na poill faire, agus an chuid eile againn ag luchtú na muscaed. Rinneadh ceithre charnán den adhmad tine, cosúil le boird, agus leagadh ceithre mhuscaed luchtaithe, armlón, agus claimhte ar gach bord.

'Caith amach an tine,' arsa an captaen.

D'iompar an tUasal Trelawney an ciseán tine amach, agus phlúch sé na haithinní sa ghaineamh.

'Níor ith Hawkins bricfeasta. A Hawkins, ith greim go sciobtha, ansin fill ar d'áit faire,' arsa an Captaen Smollett.

'A Hunter, dáil amach braon branda ar gach duine.'

Cuireadh an dochtúir ar dualgas sa doras, Hunter ar an taobh thoir, an Seoigheach ar an taobh thiar, agus an tUasal Trelawney — ó ba é an gunnadóir ab fhearr orainn é — agus Grae ar an taobh ó thuaidh, san áit a raibh na cúig pholl faire.

'Má éiríonn leo teacht chomh fada leis an teach agus scaoileadh isteach orainn trí na poill faire táimid réidh. A Hawkins, ós muid is measa ag lámhach, beimidne ag luchtú na ngunnaí.'

Chomh luath is a d'éirigh an ghrian thar bharra na gcrann, thosaigh an teas ag éirí as an ngaineamh agus an roisín ag leá san adhmad. Caitheadh dínn na cótaí agus scaoileadh na léinte, agus sheasamar sa teas ag ár bpostanna faire.

Faoi cheann uair an chloig labhair an Seoigheach. 'Mura miste leat, a dhuine uasail,' ar sé, 'má fheicim duine ar bith an bhfuil mé ceaptha scaoileadh leis?'

'Nach in é a dúirt mé leat,' a d'fhreagair an captaen.

'Go raibh maith agat, a dhuine uasail,' arsa an Seoigheach go múinte mánla.

Tar éis cúpla soicind d'ardaigh an Seoigheach a mhuscaed agus scaoil. Ní túisce piléar caite aige ná d'fhreagair cúpla gunna é ar an taobh amuigh. Bhuail cúpla piléar an teach. Nuair a scaip an deatach ní raibh deoraí le feiceáil.

'Ar aimsigh tú aon duine?' a d'fhiafraigh an captaen.

'Níor aimsigh, a dhuine uasail,' a d'fhreagair an Seoigheach.

'Luchtaigh a ghunna dó, a Hawkins. Cé mhéad a bhí ar do thaobhsa, a dhochtúir?'

'Chonaic mé trí lasair,' arsa an Dochtúir Livesey.

'Agus ar do thaobhsa, a Threlawney?'

Seachtar, a shíl an squire. Ochtar nó naonúr, a shíl Grae.

Agus ar an taobh thiar agus ar an taobh thoir níor caitheadh ach aon urchar amháin. Ba léir go raibh an t-ionsaí le teacht ón tuaisceart. Ach, ní dhearna an Captaen Smollett aon athrú ar na socruithe a bhí déanta aige. Dá n-éireodh leis na ceannaircigh an sonnach a thrasnú, a dúirt sé, agus seilbh a ghlacadh ar cheann de na poill faire ar bhalla an tí, bheidís in ann muid go léir a lámhach go héasca taobh istigh.

Ansin, le gáir mhór, tháinig púir foghlaithe mara de rith as na crainn ar an taobh ó thuaidh agus thug ruathar faoin sonnach. Tháinig piléar ag feadaíl tríd an doras agus phléasc muscaed an dochtúra ina lámha. Dhreap na foghlaithe mara thar an sonnach ar nós moncaithe. Chaith an squire agus Grae leo, arís agus arís eile. Thit fear amháin isteach thar an sonnach, agus thit beirt eile siar i ndiaidh a gcúl. D'éirigh duine díobh sin agus rith sé i dtreo na gcrann. Bhí ceathrar taobh istigh den sonnach, agus seachtar nó ochtar ag caitheamh linn ó na crainn. Rith an ceathrar i dtreo an tí. Bhreathnaigh Job Handerson, an bósan, isteach tríd an bpoll faire láir.

'Tugaigí dóibh é, a bhuachaillí!' ar sé de bhúir thoirní.

Rug foghlaí mara eile ar mhuscaed Hunter agus tharraing as a lámha é, agus le buille tréan isteach tríd an bpoll faire, leag sé ar an talamh é. Tháinig an tríú fear sa doras agus thug faoin dochtúir lena chlaíomh. Bhíomar i sáinn, agus murach an deatach a bhí sa teach, bheadh thiar orainn.

Amach linn! Troidfimid iad taobh amuigh!' a bhéic an captaen.

Thóg mé claíomh as an gcarnán, agus tharraing duine éigin eile claíomh eile, do mo ghearradh trasna na n-alt. Rith mé amach faoi sholas an lae. Leag an dochtúir duine de na foghlaithe mara. Tháinig Handerson orm, é ag béicíl go hard, agus d'ardaigh sé a chlaíomh. Thit mé ar an talamh. Nuair a bhreathnaigh mé suas bhí Grae ag sá an bhósain lena chlaíomh. Bhí fear eile ina shuí ar bharr an tsonnaigh agus caipín dearg air. Scaoil sé a phiostal agus thit sé anuas ar an talamh, ag sianaíl le teann péine.

Dhreap an ceathrú fear amach thar an sonnach.

'Scaoil — scaoiligí leo ón teach!' a bhéic an dochtúir. 'Agus sibhse, ar ais isteach sa teach libh.'

Rith an dochtúir agus Grae agus mé féin ar ais chuig an teach, agus chonaic mé costas an bhua. Bhí Hunter sínte ag an bpoll faire, gan aithne gan urlabhra, maraíodh an Seoigheach le piléar sa chloigeann, agus bhí an captaen i ngreim ag an squire — an bheirt acu chomh bán leis an bpáipéar.

'Tá an captaen gortaithe,' arsa an tUasal Trelawney.

'An bhfuil siad bailithe leo?' a d'fhiafraigh an tUasal Smollett.

'Tá cúigear nach rithfidh arís.'

'Cúigear!' a d'fhógair an captaen. 'Fágann sin triúr againn in aghaidh naonúir. Is fearr é sin ná cúigear in aghaidh naoi nduine dhéag, mar a bhí ar dtús.'

Ach ní raibh ach ochtar ceannairceach fanta. An tráthnóna sin, i ngan fhios dúinn, cailleadh an fear a chaith Trelawney ar an long.

CUID A CÚIG

M'EACHTRA FARRAIGE

22

Mar a Thosaigh m'Eachtra Farraige

Ní dhearna na ceannaircigh aon iarracht eile an lá sin, agus thug sé sin an t-am dúinn an tine a lasadh agus aire a thabhairt don dream a bhí leonta. Rinne mé féin agus an squire an chócaireacht taobh amuigh, in ainneoin na contúirte, agus muid ag éisteacht le geonaíl na n-othar taobh istigh.

Cailleadh an ceannairceach faoi scian an dochtúra. Níor tháinig Hunter chuige féin arís agus cailleadh é an lá dár gcionn.

Maidir leis an gcaptaen, bhí sé leonta go dona ach ní raibh sé i mbaol báis. Bhí a shlinneán briste ag piléar Job Handerson, agus bhí a cholpa stróicthe ag an dara piléar. Chaithfeadh sé a scíth a ligean ar feadh cúpla seachtain, a dúirt an dochtúir. Ní raibh sa ghearradh a fuair mé sna hailt ach priocadh beag, agus chuir an Dochtúir Livesey bindealán air dom.

Tar éis dinnéir, labhair an squire agus an dochtúir le chéile ar dtús, ansin san iarnóin, thóg an dochtúir a hata agus a dhá phiostal, cheangail sé a chlaíomh dá chrios, chuir an chairt ina phóca, chuir an muscaed thar a ghualainn, dhreap sé thar an sonnach ar an taobh ó thuaidh, agus d'imigh leis isteach faoi na crainn.

'Céard sa diabhal atá ar siúl aige sin?' arsa Grae leis féin. 'An bhfuil an Dochtúir Livesey as a mheabhair?'

'Sílim,' a deirimse, 'go bhfuil sé ag imeacht sa tóir ar Bhen Gunn.'

Bhí an ceart agam, mar a thuig mé níos deireanaí, ach bhí smaoineamh eile ag rith liom. Bhí mé in éad leis an dochtúir, agus é ag siúl faoi scáth na gcrann nuair a bhíomarna ag bruith sa teas, agus bhí mé ag éirí bréan den dúnfort agus de na corpáin a bhí ar gach taobh díom. Le tamall roimhe sin bhí mé ag cuimhneamh ar an gcur síos a rinne Ben Gunn ar an mbád a bhí i bhfolach faoi chloch bhán aige, agus ar an gcarraig mhór bhán a chonaic mé ar an gcladach. Ar deireadh, líon mé mo dhá phóca le brioscaí, thóg mé dhá phiostal — bhí corn púdair agus piléir agam cheana féin — agus, nuair a bhí an squire agus Grae ag freastal ar na hothair, d'éalaigh mé go ciúin thar an sonnach agus bhí mé imithe isteach faoi na crainn sula raibh a fhios ag mo chuid comrádaithe é.

B'in an dara huair a bhuail an daol mé — i bhfad níos measa ná an chéad uair, mar nár fhág mé ach beirt fhear ina sláinte leis an teach a ghardáil. Thug mé aghaidh ar chósta thoir an oileáin, agus é i gceist agam teacht ar an nguaire gainimh ó thaobh na farraige, ionas nach mbeinn le feiceáil ón gcuan. Cé go raibh sé ina thráthnóna, bhí an lá meirbh grianmhar agus, fiú sular bhain mé an cladach amach, bhí tonnaíl na farraige i mo chluasa.

D'éalaigh mé amach go ciúin ar an ngob íseal gainimh, an fharraige le mo dhroim agus an glaschuan agus Oileán na gCnámh amach romham. Bhí an *Hispaniola* ina luí go suaimhneach sa chuan agus Bratach na gCnámh crochta den chrann. Lena taobh, bhí ceann de na báid iomartha, agus Silver agus cúpla fear ar bord, agus iad ag caint is ag gáire le fear an chaipín dheirg ar an long. Ansin, chuala mé scréachach ghránna a chuir an croí trasna ionam — nó go bhfaca mé cleití geala an éin ar láimh Silver. Chuaigh Silver i dtír ansin, sa bhád iomartha, agus d'imigh fear an chaipín dheirg agus fear eile faoin deic ar an *Hispaniola*.

Chonaic mé go raibh an ghrian ag dul faoi taobh thiar den Ghloine Féachana, agus dhírigh mé m'aird ar an gcarraig bhán. Bhí sí cúpla céad slat uaim amach ar an nguaire, agus b'éigean dom mo bhealach a dhéanamh ann ag lámhacán ar an ngaineamh. Bhí an oíche ag titim nuair a leag mé mo láimh ar an gcarraig mhór gharbh. I logán beag ar chúl na carraige, i measc na bhfiailí, tháinig mé ar phuball beag déanta as craicne gabhair. Síos liom, agus chroch mé in airde taobh an phubaill go bhfaca mé curachán beag Bhen Gunn — creatlach cham a raibh craiceann gabhair sínte uirthi. Bhí céasla bheag leagtha lena taobh lena stiúradh agus a iomramh.

Ní raibh curachán feicthe roimhe sin agam, agus ba chosúil í seo leis an gcéad churachán agus leis an gcurachán ba mheasa a rinne duine riamh. Ach in ainneoin sin, bhí sí éadrom agus so-iompair. Bhuail smaoineamh ansin mé. An oíche sin, d'éalóinn amach sa chuan, ghearrfainn an téad ar an *Hispaniola* agus ligfinn le sruth í go gcuirfí i dtír í. Bhí faitíos orm, tar éis teip na hoíche roimhe sin, go bhfágfadh na foghlaithe mara ar an oileán muid agus go gcuirfidís féin chun farraige. Agus tharla nach raibh bád iomartha fágtha acu leis an bhfear faire, mheas mé go mbeadh sé éasca teacht rompu.

D'ith mé na brioscaí a bhí agam agus d'fhan mé i mo shuí sa

ghaineamh go raibh sé ina oíche. Nuair a d'imigh an ghrian faoi thit dorchadas ar an oileán. Chroch mé an curachán ar mo ghualainn agus dhreap mé in airde ar an dumhach ghainimh. Ní raibh ach dhá sholas le feiceáil — tine na bhfoghlaithe mara ar an gcósta, agus solas beag ón long. Bhí an taoide ag trá, agus b'éigean dom mo bhealach a dhéanamh amach thar an ngaineamh bog sular éirigh liom teacht chomh fada leis an uisce agus mo churachán a leagan anuas ann.

23

Casadh na Taoide

Bhí an curachán — mar a thuig mé gan mhoill — breá sábháilte do dhuine de mo dhéanamhsa. Ach, ba chuma céard a dhéanfainn, ní ghluaisfeadh sí i líne dhíreach, agus ba ghearr gur thuig mé gur fearr a bhí sí ag casadh is ag casadh thart timpeall. Mar a dúirt Ben Gunn fúithi, 'beidh sí deacair a láimhseáil go dtiocfaidh tú isteach uirthi.'

Ní raibh an deis agam dul i gcleachtadh uirthi ar chor ar bith agus, murach an taoide, ní bhainfinn an long amach go deo. Ach, tharla go raibh an *Hispaniola* ar ancaire i lár an chainéil, ba dheacair dul thairsti.

Ba ghearr go raibh mé tagtha aníos lena taobh. Bhí cábla an ancaire chomh teann le dorú agus an long á tarraingt in aghaidh an ancaire ag an sruth. Bhain sruth na taoide ceol as cabhail na loinge. Gearradh amháin le mo scian loinge, a mheas mé, agus bheadh an *Hispaniola* scuabtha leis an sruth. Ansin chuimhnigh mé ar an speach a thabharfadh an cábla uaidh nuair a ghearrfaí é. Dá ndéanfainn iarracht an long a ghearradh ón ancaire, gach uile sheans go n-ardófaí mé féin is an curachán glan as an bhfarraige.

Agus mé ag smaoineamh air seo, rug puth gaoithe an *Hispaniola* agus scuabadh amach ar an sruth í, agus d'airigh mé an cábla ag bogadh i mo láimh. Thóg mé amach mo scian, d'oscail le mo chuid fiacla í, agus chuaigh mé ag gearradh an chábla. Ar deireadh ní raibh ach dhá dhlaoi ag coinneáil na loinge. D'fhan mé go gcasfaí an long arís sa taoide, le súil go lagófaí an tarraingt ar an gcábla ar dtús. Fad is a bhí mé ag fanacht bhí mé in ann an liagóir, Iosrael Hands, a chloisteáil ar bord ag caint le fear an chaipín dheirg. Bhí an t-ól gafa sa chloigeann orthu agus iad ag eascainí lena chéile. Ar an gcósta, bhí mé in ann an tine a fheiceáil trí na crainn. Bhí duine éigin ag gabhail fhoinn. D'airigh mé na focail go soiléir thar an bhfarraige:

As na seachtó cúig a sheol amach ón gcéibh,
Níor fhan éinne beo ach fear inste an scéil.

Ar deireadh, chorraigh an scúnar arís sa taoide agus d'airigh mé an cábla ag lagú arís agus, le tréaniarracht, ghearr mé na dlaoithe deireanacha den chábla. Thosaigh an scúnar ag casadh timpeall, agus bhuail faitíos mé go mbáfaí mé féin is an curachán. Chuaigh mé ag iomramh ar nós an diabhail, agus ar deireadh d'éirigh liom an curachán a thabhairt as, agus díreach agus mé ag lagú ar an maide chuimil mé in aghaidh rópa a bhí crochta anuas as an long. Rug mé greim air. Gan smaoineamh, tharraing mé mé féin aníos. Thosaigh mé ag dreapadh nó go raibh mé in ann breathnú isteach trí fhuinneog an chábáin. Taobh istigh, bhí Hands agus a chomrádaí ag iomrascáil ar an urlár. Ar mo chúl, bhí mé in ann an t-amhrán a chloisteáil arís, agus an curfá á rá ag an gcomhluadar ar fad:

Cúig fhear déag ar chófra an fhir bháite —
Ió hó hó agus buidéal rum!
An t-ól is an Diabhal a d'fhág iad tráite —
Ió hó hó agus buidéal rum!

Dhreap mé anuas arís agus shuigh mé ar ais sa churachán. D'fhan mé ansin, na tonnta do mo chaitheamh anonn is anall, gur thit mo chodladh orm, agus mé ag brionglóidí ar an mbaile agus ar an Aimiréal Benbow.

24

Turas an Churacháin

Dhúisigh mé agus é ina lá geal. Bhí borradh san fharraige agus mé do mo chaitheamh anonn is anall ar iardheisceart an oileáin. Bhí an ghrian ina suí, ach í ceilte orm ag mullach ard na Gloine Féachana, cnoc a shín anuas go haillte móra farraige. Bhí Inis Sionnach agus Cnoc an Chrainn Deiridh le mo thaobh, ní raibh mé ach cúpla céad slat ón gcósta, agus ba é an chéad smaoineamh a rith liom, iomramh chomh fada leis an gcladach agus teacht i dtír. Ach nuair a bhreathnaigh mé ar na maidhmeanna móra ag briseadh ar na carraigeacha faoi bhun na n-aillte chuir mé an smaoineamh sin as mo cheann. Ní hamháin sin, ach bhí rónta móra gránna sínte ar leaca amach ón gcladach, agus ba thúisce a chaillfí den ocras ar an bhfarraige mé ná aghaidh a thabhairt orthu sin.

Taobh ó thuaidh d'Inis Sionnach chonaic mé trá mhór fhada, agus taobh ó thuaidh de sin, bhí rinn eile — Rinn na Coille, mar a bhí scríofa ar an gcairt — agus í faoi chrainn arda péine ag síneadh go cladach.

Chuimhnigh mé ar an méid a dúirt Silver faoin sruth ó

thuaidh feadh cósta thiar Oileán an Órchiste, agus shocraigh mé fanacht go mbeadh Inis Sionnach fágtha i mo dhiaidh agam agus go ndéanfainn iarracht teacht i dtír ar Rinn na Coille.

Cé go raibh an fharraige guagach go maith, ní dhearna mo churachán ach damhsa ar bharr na dtonn agus titim go réidh sna logáin, mar a dhéanfadh éan ar an bhfarraige. Go dána, rinne mé iarracht mo churachán a stiúradh, ach chomh luath is a chuir mé céasla i bhfarraige thosaigh an curachán ag bocaíl ó thaobh go taobh agus fliuchadh go craiceann mé.

'Bhuel, anois,' a deirim liom féin agus mé ag taoscadh uisce, 'mura bhfuilim ag iarraidh mo bháidín a iompú is léir go gcaithfidh mé luí anseo gan corraí.'

D'fhan mé mar sin, ag ligean don sruth mé a thabhairt leis, agus an ghrian ag ardú os mo chionn. Ba ghearr go raibh mo scornach triomaithe agus go raibh crústa salainn ar mo bheola. Casadh an curachán sa taoide agus céard a d'fheicfinn os mo chomhair amach ach an *Hispaniola* agus í faoi sheol. Ní raibh sí leathmhíle uaim agus a culaith seolta ag scalladh faoin ngrian mar a bheadh sneachta ann, agus í ag dul anonn is anall ar an bhfarraige. Ba léir nach raibh duine ar bith á stiúradh.

'Na hamadáin,' arsa mise, 'chaithfeadh sé go bhfuil siad ar meisce.'

Go mall, thosaigh mé ag iomramh i dtreo na loinge agus, ar ámharaí an tsaoil, bhí an taoide á tabhairt i mo threosa. Ba ghearr go raibh an crann spreoide os mo chionn. Léim mé i mo sheasamh, chaith mé mé féin in airde, cuireadh an curachán faoin bhfarraige agus rug mé greim ar an gcrann spreoide. Agus mé crochta den chrann, chuala mé an curachán á briseadh thíos fúm, agus bhí a fhios agam nach raibh aon bhealach ar ais i ndán dom.

25

Stríocaim Bratach na gCnámh

A thúisce is a bhí mé i mo shuí in airde ar an gcrann spreoide, thosaigh an long ag éirí is ag titim sna maidhmeanna, agus bhí mé á luascadh anonn is anall ar an gcuaille. Go mall faiteach, rinne mé mo bhealach anuas go dtí an deic. Bhí drochbhail ar an long. Bhí salachar i ngach áit agus buidéal briste ag rolláil anonn is anall ar an deic. Cé go raibh na seolta crochta, bhí an bheirt fhear faire sínte — Iosrael Hands ina luí in aghaidh na ráillí, a smig anuas ar a chliabhrach; agus fear an chaipín dheirg ina luí ina chuid fola agus meangadh gránna ar a bhéal. Thosaigh Iosrael Hands ag geonaíl. Sheas mé lena ais, agus d'oscail sé a shúile.

'Branda,' a d'iarr sé.

Chuaigh mé faoin deic agus chonaic mé go raibh salachar agus gloine bhriste i ngach áit. I measc leabhar stróicthe agus ceaigeanna briste, chuardaigh mé uisce dó. Tháinig mé ar bhrioscaí, rísíní, cáis, torthaí picilte, uisce agus branda. Thug mé ar deic iad, d'ith mé agus d'ól mé mo sháith, agus thug mé roinnt brioscaí is cáise, agus deoch branda, do Hands.

Chaith sé siar é de léim.

'Ar baineadh gortú duit?' a d'fhiafraigh mé de.

'Beidh mé ceart go leor,' ar sé. Bhreathnaigh sé ar fhear an chaipín dheirg. 'Ní fear farraige a bhí ann,' ar sé. 'Agus cé as ar tháinig tusa?'

'Táim tagtha ar bord le seilbh a ghlacadh ar an long,' a deirimse, 'Is mé do chaptaen nó go dtiocfaidh an Captaen Smollett ar ais ar bord.'

Ní dúirt sé dada leis sin.

'Ar aon nós,' a deirimse, 'Ní dhéanfaidh an bhratach seo cúis.' Stríoc mé Bratach na gCnámh, agus chaith mé i bhfarraige í. 'Agus sin deireadh leis an gCaptaen Silver!'

Bhreathnaigh sé go géar orm, gan a smig a bhaint dá chliabhrach.

'A Chaptaein Hawkins,' ar sé, ar deireadh, 'Chroch mé féin agus an fear seo....' Bhreathnaigh sé ar an gcorp. 'Ó Briain a bhí air. Chrochamar na seolta uirthi, agus bhíomar lena tabhairt ar ais i dtír. Má chuireann tú bindealán ar mo chois dom, beidh mé in ann cabhrú leat í a sheoladh.'

'Nílim chomh hamaideach is go bhfuilim lena seoladh chomh fada le Silver i gCuan an Chaptaein Kidd!'

'Is tusa an captaen,' ar sé. 'Seolfaidh mise in áit ar bith duit í.'

'Ba mhaith liom í a thabhairt go dtí an Crompán Thuaidh agus rith cladaigh a thabhairt di.'

'Cibé áit a thograíonn tú féin,' ar sé.

Rinneamar margadh, agus faoi cheann trí nóiméad bhí an *Hispaniola* ag seoladh go réidh le cósta Oileán an Órchiste, agus súil agam go mbainfeadh muid amach an Crompán Thuaidh sula mbeadh sé ina lán mhara nuair a bheadh deis againn í a chur i dtír go sábháilte.

Cheangail mé an halmadóir, ansin chuaigh mé faoin deic,

agus thug mé naipcín póca aníos as mo chófra agus chabhraigh mé le Hands an chréacht ina leis a cheangal. Thosaigh sé ag teacht chuige féin ansin, dhírigh sé aníos agus tháinig cuma níos fearr air.

Ba ghearr gur fhágamar an cósta íseal gainmheach inár ndiaidh agus go ndeachamar timpeall an chnocáin charraigeach ar an bpointe is faide ó thuaidh den oileán.

Cé go raibh sé ag goilleadh orm gur thréig mé mo chomrádaithe, bhí mé breá sásta liom féin agus le mo long. Go deimhin, bheadh gach uile rud ar mo mhian agam murach an liagóir a bhí ag faire go géar ar gach uile chor a chuir mé díom agus meangadh glic mailíseach ar a aghaidh.

26

Iosrael Hands

Le cóir ghaoithe, bhaineamar amach an Crompán Thuaidh sula raibh sé ina lán mhara, agus tharla nach rabhamar in ann ancaire a bhá, choinníomar amach ón gcósta í agus muid ag fanacht leis an taoide.

Shuíomar chun béile.

'A chaptaein,' ar sé, ar deireadh, agus an meangadh mailíseach sin ar a bhéal arís. 'An bhfuil a fhios agat céard é féin? Níor mhaith liom go gceapfá go bhfuilim míbhuíoch díot, ach ní airím go bhfuilim tagtha chugam féin go hiomlán agus tá faitíos orm go bhfuil an branda seo róláidir dom. Dá bhfaighfeá buidéal fíona dom bheinn an-bhuíoch díot.'

'Fíon?' a deirimse. 'Bán nó dearg?'

'Mar a chéile domsa é, a chomrádaí,' a d'fhreagair sé.

'Maith go leor,' a deirimse. 'Tabharfaidh mé buidéal port chugat, ach beidh orm dul á thóraíocht.'

Síos liom faoin deic agus mé ag déanamh an oiread torainn is a bhí mé in ann. Bhain mé díom na bróga, d'éalaigh mé tríd an gcocús, dhreap mé aníos dréimire an chaisil agus bhreathnaigh amach ar an deic.

Bhí sé tar éis é féin a ardú aníos ar a chosa agus, in ainneoin na péine, rinne sé a bhealach chomh fada leis an tslat bhoird agus, as corna rópa, tharraing amach scian fhada a bhí deargtha go feirc. Phrioc sé a bhos le rinn na scine, chuir an scian i bhfolach ina chóta, agus rinne a bhealach ar ais go dtí a áit suí.

D'éalaigh mé ar ais chomh fada leis an gcábán, chuir orm mo bhróga arís, thóg buidéal fíona, agus tháinig ar ais ar an deic.

Bhí Hands mar a d'fhág mé é, a dhá shúil dúnta amhail is nach raibh sé in ann ag solas an lae. Bhreathnaigh sé nuair a chuala sé ag teacht mé, agus bhain sé an cloigeann den bhuidéal agus bhain bolgam as.

'Anois, a Chaptaein Hawkins,' ar sé. 'Tá an taoide sách ard, agus tá sé in am an long a thabhairt i dtír.'

Le chéile, d'éirigh linn an long a thabhairt go béal an chuain. Píolóta den scoth a bhí i Hands agus, faoina stiúradh, thugamar isteach sa chuan í. Bhí coillte dlútha ar gach taobh den chuan, agus seanlong bhriste ar an gcladach agus í ag titim as a chéile, an fheamainn ag fás ar a cabhail agus sceacha ag fás aníos tríd an deic.

'Breathnaigh,' arsa Hands, 'sin áit mhaith chun í a chur i dtír. Trá mhín ghainimh, agus crainn ar gach thaobh de.'

'Nuair a bheidh sí ar an ngaineamh againn,' a d'fhiafraigh mé de, 'cén chaoi a gcuirfimid ar snámh arís í?'

'Cuirfidh tú téad i dtír le lag trá,' a d'fhreagair sé, 'casfaidh tú timpeall ar cheann de na crainn phéine sin í, tabharfaidh tú ar ais í agus casfaidh tú timpeall ar an gcapstan í, agus fanfaidh tú go n-ardóidh an taoide. Nuair a bheidh sé ina lán mhara, níl le déanamh ach na fir a chur ag tarraingt na téide agus sleamhnóidh sí amach ar an bhfarraige go héasca.'

Thosaíomar ag tabhairt thart na loinge chun í a chur i dtreo na trá.

'Faoi réir anois, a bhuachaill. Ar bhord na heangaí, de bheagán.'

Chas mé an halmadóir, agus rinneamar ar an ngaineamh. Ansin, ar chúis éigin, chas mé mo cheann. B'fhéidir gur airigh mé torann nó go bhfaca mé scáth ag corraí in eireaball mo shúile, ach nuair a bhreathnaigh mé thart bhí Hands ag teacht i mo threo agus a scian ina dheasóg aige.

Bhéic an bheirt againn in éineacht. Béic uafáis a lig mise asam, agus béic feirge a lig seisean as. Chaith sé é féin orm. Léim mise as a bhealach. Nuair a scaoil mé den halmadóir, phreab sé as mo láimh agus bhuail sé sa chliabhrach é.

Baineadh stangadh as Hands. Sheas mé ag bun an chrainn mhóir, thóg mé an piostal as mo phóca, dhírigh é agus scaoil. Bhuail an casúr ach ní raibh scal ná pléasc as. Bhí an púdar curtha ó mhaith ag an sáile.

Rith mé go dtí an crann mór agus, in ainneoin a chuid gortuithe, bhí Hands i mo dhiaidh lasta. Leis sin, bhuail an long faoin gcladach agus caitheadh an bheirt againn anuas ar an deic. Ba mé ba thúisce ar a chosa. Rith mé chomh fada leis na sciútaí agus in airde liom ar an gcrann tosaigh. Ghreamaigh an scian sa chrann faoi mo chois. Bhí Iosrael Hands thíos fúm agus a bhéal ar leathadh aige. Nuair a bhí an deis agam, luchtaigh mé an piostal agus, nuair a bhí sé sin déanta agam, luchtaigh mé an dara piostal.

Ar fheiceáil an dá phiostal dó, sheas Hands ag braiteoireacht nóiméad, ansin, go diongbháilte, thóg sé an scian idir a dhá dhraid agus thosaigh sé á ardú féin aníos sna sciútaí, go mall, pianmhar, agus a chois á tarraingt ina dhiaidh aige. Nuair a bhí sé aon trian den bhealach in airde, dhírigh mé an dá phiostal air agus labhair mé leis.

'Tar orlach níos gaire dom, a Iosraeil Hands,' a deirimse, 'agus ardóidh mé an cloigeann díot.'

Stop sé. Thóg sé an scian as a bhéal agus labhair. 'A Jim,' ar sé, 'Tá mé ag ceapadh go bhfuilim i ngreim agat, agus go gcaithfidh mé stríocadh.'

Agus é á rá sin chuir sé a lámh siar thar a ghualainn, chuala mé fead, agus d'airigh mé pian agus mo ghualainn á greamú den chrann. Phléasc an dá phiostal agus d'eitil siad as mo lámha. Lig an liagóir osna as, scaoil sé a ghreim ar na scriútaí, agus thit sé san fharraige.

27

Píosaí Ocht Réal

Mar go raibh an long ar leathmhaig, bhí na crainn crochta amach thar an bhfarraige, agus bhí mé in ann Hands a fheiceáil thíos fúm. D'éirigh sé go barr uisce i gcúr fola, ansin d'imigh sé faoi arís agus d'fhan ann. De réir mar a bhí an t-uisce ag glanadh, bhí mé in ann é a fheiceáil sínte ar an ngaineamh geal glan faoi scáil na loinge. Lasc iasc nó dhó thairis. Ó am go chéile, de bharr chorraíl na farraige, bhí an chuma air go raibh sé ag iarraidh éirí. Ach bhí sé chomh marbh le hart, agus é ag beathú na n-iasc san áit ar bhraith sé mise a mharú.

Agus mé ag cuimhneamh air sin, tháinig múisiam orm — agus faitíos. Bhí an fhuil the ag rith le mo dhroim is mo chliabhrach, agus bhí mo ghualainn te lasta san áit a ndeachaigh an scian inti, ach ba é an rud ba mhó a ghoill orm, go bhféadfainn titim den chrann isteach san fharraige ghlas, in aice le corp an liagóra.

Choinnigh mé greim ar an gcrann nó gur tháinig pian i mo chuid ingne, agus dhún mé mo shúile. Ar deireadh, mhoilligh mo chroí agus fuair mé smacht orm féin arís.

Rinne mé iarracht an scian a tharraingt, ach chinn sé orm agus ghabh creathán gach uile bhall de mo chorp. B'in a scaoil a greim orm. Thosaigh an fhuil ag doirteadh go tréan ansin, agus dhreap mé anuas sna scriútaí ar an deic. Chuaigh mé faoin deic agus rinne mé iarracht an chréacht a cheangail. Bhí drochphian orm agus bhí sí fós ag cur fola, ach ní raibh sí domhain ná contúirteach, agus níor chuir sí as rómhór dom nuair a d'úsáid mé mo lámh.

Thug mé súil thart orm, agus shíl mé gurbh fhearr fáil réidh leis an bpaisinéir deiridh, an Brianach. Bhí sé caite in aghaidh na slaite boird mar a bheadh puipéad mór místuama ann. Chuir mé mo lámha thart ar a chom agus, mar a dhéanfainn le mála plúir, chroch mé thar an tslat bhoird é. Bhuail sé an t-uisce de phlab. Tháinig a chaipín dearg de, agus nuair a shocraigh an t-uisce arís bhí mé in ann é féin agus Iosrael Hands a fheiceáil ag sníomh le corraíl na farraige. Bhí an Brianach sínte agus a chloigeann maol leagtha aige ar ghlúine an fhir a mharaigh é, agus na héisc ag gabháil siar is aniar tharstu.

Thosaigh an taoide ag casadh. Bhí an ghrian ar tí dul faoi agus scáth na gcrann ag síneadh trasna an chuain chomh fada le deic na loinge. D'ardaigh leoithne bhog ghaoithe agus thosaigh na seolta ag corraí anonn is anall. Chonaic mé an chontúirt a bhí anseo don long agus stríoc mé na seolta tosaigh ar an toirt, ach bheadh an seol mór níos deacra. Nuair a chuaigh an long ar an trá caitheadh an crann scóide amach thar an tslat bhoird agus bhí troigh nó dhó den seol faoin uisce. Nuair nár éirigh liom é a scaoileadh, thóg mé mo scian agus ghearr mé na láinnéir. Dhírigh an long í féin aníos de bheagán agus fágadh bolg mór canbháis ar snámh ar bharr uisce. Faoin am seo bhí an cuan faoi scáth na gcrann agus goimh ag teacht sa tráthnóna agus, de réir mar a bhí an taoide ag trá, bhí an long á socrú féin ar an ngaineamh.

Bhí an chuma ar an bhfarraige nach raibh doimhneacht ar bith inti. Thóg mé an rópa agus lig mé mé féin anuas go réidh. Agus an t-uisce go básta orm. D'fhág mé an *Hispaniola* ina luí ar a taobh sa chuan agus shiúil mé i dtír ar an ngaineamh agus an ghrian ag dul faoi.

Cé go raibh a fhios agam nach mbeadh an Captaen Smolett sásta liom, bheadh sé le maíomh agam gur ruaig mé na foghlaithe mara den *Hispaniola*. Chuimhnigh mé gur ó chnocán an dá mhullach ar mo láimh chlé a rith an ceann ab fhaide soir de na haibhneacha a chuaigh i bhfarraige i gCuan an Chaptaein Kidd, agus dheifrigh mé ar mo chois le súil go mbainfinn an dúnfort amach sula mbeadh sé ródhorcha. Ní raibh an choill ródhlúth agus ba ghearr go raibh an cnocán curtha díom agam agus go raibh mé go colpaí sa sruthán, gar don áit ar casadh an marúnaí Ben Gunn orm. Chonaic mé solas tine amach romham, áit a raibh fear an oileáin ag ithe a shuipéir, a mheas mé. Ach, ansin rith sé liom nach mbeadh sé chomh míchúramach sin mar, má bhí mise in ann é a fheiceáil, is cinnte go mbeadh Silver in ann é a fheiceáil ón áit a raibh na foghlaithe mara campáilte ar an gcladach.

De réir mar a bhí mé ag imeacht romham, bhí an oíche ag éirí níos dorcha agus mé do mo leagan ag géaga is ag titim i logáin ghainimh. Ansin, go tobann, caitheadh cineál solais orm. Bhreathnaigh mé uaim agus chonaic mé an ghealach sna crainn ar mo chúl, agus le cabhair na gealaí dheifrigh mé romham i dtreo an dúnfoirt. Agus mé ag teacht i ngar don áit, mhoill,igh mé ar mo shiúl, le faitíos go gcaithfeadh duine de mo chomrádaithe féin mé.

Amach romham, chonaic mé solas sna crainn, mar a bheadh tine ag cráindó. Nuair a tháinig mé go himeall na gcrann bhí mé in ann an dúnfort a fheiceáil agus aithinní tine ar thaobh an tí. Ní raibh deoraí le feiceáil ná torann le cloisteáil, cé is moite den ghaoth. Chuir sé sin imní orm, mar ní raibh sé de nós againn tinte móra a lasadh. Go deimhin, ar orduithe an Chaptaein, bhíomar gortach go maith leis an mbrosna. Tháinig faitíos orm go raibh rud éigin tarlaithe ó d'imigh mé.

D'éalaigh mé thart le taobh an sconsa agus, san áit ba dhorcha, dhreap mé isteach thairis. D'ísligh mé ar mo cheithre bhonn ansin, agus d'imigh mé romham ag lámhacán go ciúin gur bhain mé coirnéal an tí amach. Ansin, d'airigh mé fuaim a d'ardaigh mo chroí, na fir ag srannadh ina gcodladh. Ba bhocht an faire a bhí á dhéanamh acu, a dúirt mé liom féin. Dá mba é Silver is a chuid fear a bhí ag éalú aníos orthu, ní thiocfadh duine ar bith slán.

Isteach liom sa seomra dorcha, agus é de rún agam mé féin a shíneadh siar ina measc, agus rinne mé gáire beag nuair a chuimhnigh mé ar an bpreab a bhainfí astu nuair a d'fheicidís ann mé ar maidin.

Bhuail mo chos faoi rud éigin crua — cos dhuine éigin. D'iompaigh sé thart agus lig gnúsacht as, gan dúiseacht.

Ansin go tobann scairt guth amach sa dorchadas. 'Píosaí ocht réal! Píosaí ocht réal! Píosaí ocht réal! Píosaí ocht réal! agus mar sin de, gan stopadh le hanáil a tharraingt.

Pearóid Silver, an Captaen Flint! Sula raibh deis ealaithe agam d'éirigh an lucht suain de phreab, agus lig Silver mallacht as. 'Cé atá ansin?'

Rinne mé iarracht rith, ach bhuail mé faoi dhuine amháin, phreab mé siar uaidh agus bhuail mé faoin dara duine agus fáisceadh greim go teann orm.

'Tabhair chugam solas, a Dic,' arsa Silver. Chuaigh duine de na fir amach agus d'fhill sé le laindéar lasta.

AN CAPTAEN SILVER

28

I gCampa an Namhad

I GCAMPA an namhad, faoi sholas an tóirse, chonaic mé go raibh na foghlaithe mara i gceannas an tí agus an stórais. Bhí ceaig cognac acu, bagún agus arán, ach — rud a chuir imní orm — ní raibh aon phríosúnach le feiceáil. Shíl mé go raibh siad ar fad maraithe acu, agus bhí aiféala orm nár cailleadh mise in éineacht leo. Seisear foghlaithe mara a bhí ann, cúigear ar a gcosa agus iad ag míogarnach le codladh an mheisce. Chroch an séú fear é féin aníos ar a uillinn. Bhí dath an bháis air, agus bindealán fuilteach ar a cheann. Chuimhnigh mé ar an bhfear a caitheadh agus a d'imigh de rith ar ais sna crainn le linn an ionsaí mhóir, bhí mé cinnte gurb é a bhí ann.

Shuigh an phearóid agus é ag cóiriú a chuid cleití ar ghualainn Long John. Bhí cuma mhílítheach air siúd agus, cé go raibh a chóta breá cabhlaigh air i gcónaí, bhí puiteach triomaithe air agus bhí sé stróicthe ag driseacha na coille.

'In ainm Chroim,' ar sé, 'ní féidir gurb é Jim Hawkins atá agam! Shocraigh tú bualadh isteach chugainn, ar shocraigh? Bhuel, nach deas é sin?'

Shuigh sé ar an gceaig branda, las sé a phíopa, agus dúirt sé leis na fir suí. 'Anois, a Jim, tharla go bhfuil tú anseo, inseoidh mé duit cad a cheapaimse. Thaitin tú riamh liom. Tá teacht aniar ionat, cosúil liom féin nuair a bhí mé óg agus slachtmhar. Bhí mé ón tús ag iarraidh go dtiocfá i bpáirt linne, go bhfaighfeá do chuid féin den chreach, agus go bhfillfeá abhaile le saol an duine uasail a chaitheamh. Ach anois, a choileachín bhreá, níl an dara rogha agat. Is fear mór smachta é an Captaen Smollett, agus d'fhanfainn glan air dá mba mise thusa. Agus tá an dochtúir féin iompaithe i d'aghaidh — "coileáinín gan bhuíochas" a thug sé ort — agus tharla nach bhfuil aon fháilte acu sin romhat, mura dtosóidh tú do bhuíon bheag féin, beidh ort cloí leis an gCaptaen Silver.'

Thuig mé uaidh sin go raibh mo chuid cairde fós ina mbeatha, agus cé gur chreid mé an méid a dúirt Silver faoina mhíshásamh liom, ba mhór an faoiseamh dom é.

'Bhuel,' a deirimse, agus mé ag éirí dána, 'má tá rogha le déanamh agam, tá sé de cheart agam fios a bheith agam céard a thit amach anseo.'

'Tabharfaidh mise do cheart duit,' arsa duine de na bucainéirí faoina fhiacla.

'Cuir snaidhm ann,' a bhéic Silver leis, 'agus ná labhair go labhraítear leat!'

Agus ansin, go múinte, thug sé freagra orm. 'Maidin inné, a Jim,' ar sé, 'tháinig an Dochtúir Livesey chugainn agus bratach shíochána ar iompar aige. "A Chaptaein Silver," ar sé, "tá do bhád imithe." Bhuel, ní dhéarfaidh mé nár óladh cúpla deoch aréir, agus nár dúradh cúpla amhrán. Ar aon chuma, níor bhreathnaigh duine ar bith againn amach ar an bhfarraige go dtí sin. Agus, m'anam 'on diabhal, ach bhí an ceart aige! Bhí an long imithe! "Bhuel," arsa an dochtúir, "déanaimis margadh."

Chuaigh an bheirt againn ag margaíocht, agus seo anois muid: bia, branda, an teach, brosna, agus an long ar fad ó bhall go post. Agus maidir leosan, d'imigh siad leo, agus níl a fhios agam ó thalamh an domhain cá bhfuil siad.'

Bhain sé gal as a phíopa.

'Agus má tá tú ag ceapadh go raibh tú san áireamh sa mhargadh seo,' ar sé, 'tá dul amú ort. "Cé mhéad agaibh," a deirimse, "a bheas ag imeacht?" "Ceathrar," ar seisean. "Ceathrar, agus duine againn gortaithe. Agus maidir leis an mbuachaill, níl a fhios agam cá bhfuil sé siúd — drochrath air — agus is cuma liom, táimid bréan de." Sin iad na focail a dúirt sé.'

'An é sin an méid?' a deirimse.

'Sin an méid a chloisfidh tú uaimse,' arsa Silver.

'Agus caithfidh mise mo rogha a dhéanamh?'

'Caithfidh tusa do rogha a dhéanamh,' arsa Silver.

'Bhuel,' a deirimse, 'tá long, órchiste, agus fir caillte agaibh, agus is mise is ciontaí leis. Is mé a bhí sa bhairille úll an oíche a fuaireamar amharc ar an oileán, agus chuala mé thú féin, Dic Johnson, agus Hands — atá anois ar ghrinneall na mara — agus d'inis mé gach uile fhocal dá ndúirt sibh don chaptaen. Agus maidir leis an long, is mé a ghearr a cábla, agus is mé a mharaigh na fir a d'fhág tú ar bord uirthi, agus is mé a thug í san áit nach bhfeicfidh sibh arís í. Agus m'anam gur mise atá ag gáire anois. Maraígí mé más mian libh, níl aon fhaitíos orm romhaibh. Ach déarfaidh mé an méid seo, má ligeann sibh liom, scaoilfimid tharainn é, agus nuair a bheidh sibhse os comhair cúirte mar gheall ar fhoghlaíocht mhara déanfaidh mé mo dhícheall daoibh. Libhse an rogha. Sábháil mise agus sábhálfar ón gcroch sibh.'

Bhí gach uile dhuine acu ag stánadh orm, gan focal astu.

'Agus anois, a John Silver,' a deirim, 'glacaim leis gur tú an ceann feadhna anseo, agus má théann an scéal chun donais, bheinn buíoch díot ach a insint don dochtúir mar a thit amach.'

'Déanfaidh mé mo mhachnamh air,' arsa Silver.

'Déanfaidh agus mise!' a bhéic seanmhairnéalach buíchraiceneach — Tom Morgan sin a chonaic mé i dteach ósta Long John ar an duga i mBriostó. 'Sin é an fear a d'aithin an Madra Dubh.'

'Is é, go deimhin,' arsa an cócaire, 'agus a ghoid an chairt ó Bhillí Bones!'

Léim Morgan ina sheasamh agus a scian ina dheasóg aige. 'Cuirfidh mise go feirc ann í!' ar sé de bhéic.

'Go réidh ansin!' a bhéic Silver. 'An gceapann tú gur tú atá i do chaptaen orainn, a Tom Morgan? Cuirfidh mise múineadh ort! Seas ar chois ormsa agus gabhfaidh tú san áit a ndeachaidh fir mhaithe romhat le tríocha bliain anuas — cuid acu ar bhun rópa agus cuid eile thar chlár amach, agus iad ar fad ag beathú na n-iasc, a Tom Morgan.'

Stop Morgan ach thosaigh na fir eile ag mungailt faoina n-anáil.

'Tá an ceart ag Tom,' arsa duine acu.

'Cé agaibh atá ag iarraidh é a fhéachaint liomsa,' a bhéic Silver, é cromtha chun tosaigh agus a phíopa ina ghlac aige. 'Tógadh sé a chlaíomh má tá sé de mhisneach aige, agus geallaim daoibh go bhfeicfimid dath a chuid ionathar sula mbeidh an píopa seo caite agam.'

Níor chorraigh aon fhear. Thosaigh an dóchas ag fás ionam. Chuir Silver a dhroim le balla agus a phíopa ina bhéal aige. Chruinnigh na fir ag cogarnach i gcúinne an tí. Ó am go chéile, bhreathnaíodh duine acu ar Silver.

'Shílfeá go raibh neart le rá agaibh lena chéile,' arsa Silver. 'Má tá rud éigin le rá agaibh abraigí amach é.'

D'imigh duine acu amach as an teach, ansin, ina nduine agus ina nduine, lean na fir eile amach é go maolchluasach agus leithscéal éigin ar a bhéal ag gach duine acu. 'De réir na rialacha,' arsa duine amháin. 'Comhairle loinge,' arsa Morgan. Agus mar sin de. Ar deireadh, ní raibh fanta sa teach ach Silver agus mé féin agus an laindéar.

Thóg an cócaire loinge a phíopa as a bhéal. 'Breathnaigh anois, a Jim Hawkins,' ar sé i gcogar liom, 'níl tusa ach fad cláir ón mbás, agus céasadh, b'fhéidir. Tá siad chun an ceannas a bhaint díom. Ach seasfaidh mise leat. Seasfaidh mise leatsa, agus seasfaidh tusa liomsa!'

'Tá an cath caillte?' a deirim.

'Tá sin, tá!' ar sé. 'Ó chonaic mé go raibh an scúnar imithe bhí a fhios agam go raibh mo chnaipe déanta. Ach, tá a fhios agam go bhfuil an long sin curtha in áit shábháilte agatsa, agus tá a fhios agam go seasfaidh tú liom, agus an té a bhíonn go maith duit, bí go maith dó. Seasfaidh mise leatsa.'

'Déanfaidh mé rud ar bith is féidir liom a dhéanamh duit.'

'Bíodh sé ina mhargadh! Ach, mínigh é seo dom, a Jim, cén fáth ar thug an Dochtúir Livesey an chairt dom?' Nuair a chonaic sé an t-iontas a bhí orm féin níor cheistigh sé mé níos mó ar an ábhar sin. 'Rinne sé é sin, rinne,' ar sé. 'Agus bí cinnte go raibh cúis éigin aige leis.' Chroith sé a cheann ansin go héadóchasach.

29

An Spota Dubh Arís

Mhair cruinniú na mbucainéirí i bhfad, ansin d'fhill duine acu, rinne sé cúirtéis le Silver agus d'iarr iasacht an laindéir air. Cheadaigh Silver é sin dó, agus d'imigh an teachtaire agus d'fhág sa dorchadas muid.

Chuir mé mo shúil leis an bpoll faire ba ghaire dom agus bhreathnaigh amach. Nuair a chonaic mé go raibh an tine mhór beagnach múchta thuig mé cén chúis a bhí ag na bucainéirí leis an laindéar. Leath bealaigh idir muid agus an sonnach, bhí siad cruinnithe, an tóirse ag duine amháin, agus fear eile ar a ghlúine agus lann scine ag soilsiú ina láimh, agus leabhar ina láimh eile. Bhí an chuid eile cromtha os a chionn, ag breathnú air. D'éirigh an fear ina sheasamh agus thosaigh an bhuíon ag teacht i dtreo an tí.

'Tá siad ag teacht,' arsa mise, agus d'fhill mé ar Silver mar nár mhian liom go bhfeicfidís mé ag faire orthu.

'Tagaidís,' arsa Silver go meidhreach. 'Tá géim fós sa chailleach.'

D'oscail an doras agus tháinig an cúigear isteach. Bhí duine amháin á bhrú chun tosaigh acu, agus a dhorn dúnta a shíneadh amach roimhe aige

'Gabh i leith anseo, a scoraigh,' a bhéic Silver. 'Ní íosfaidh mé thú. Tabhair dom é. Tá na rialacha ar eolas agam, ní leagfaidh mé méar ar theachtaire.'

Shín an bucainéir rud éigin isteach i láimh Silver, ansin shleamhnaigh sé ar ais i measc a chairde.

Bhreathnaigh an cócaire loinge ar an rud a tugadh dó. 'Mar a shíl mé, an spota dubh!' ar sé. 'Agus cá bhfuair sibh an páipéar? Bhuel, breathnaigh air seo anois! Ní bheidh aon ádh go deo ar an té a rinne é seo. Stróiceadh é seo as an mBíobla! Cén pleota a chuaigh ag gearradh leathanaigh as an mBíobla?'

'Anois!' arsa Morgan. 'Céard a dúirt mé libh? Nach ndúirt mé nach dtiocfadh aon mhaith as sin?'

'Bhuel, Tá sibh réidh anois,' arsa Silver. 'Crochfar sibh go cinnte. Cé aige a raibh an Bíobla?'

'Ag Dic,' arsa duine amháin.

'Abair do chuid paidreacha, a Dic,' arsa Silver. 'Tá a chnaipe déanta ag Dic bocht. Féadfaidh sibh a bheith cinnte de sin.'

Ansin labhair fear na súl buí. 'Éirigh as, a John Silver,' ar sé. 'Tá an spota dubh faighte agat ón gcriú, anois cas thart é go bhfeicfidh tú céard atá scríofa air. Féadfaidh tú a bheith ag caint ansin.'

'Go raibh maith agat, a Sheoirse,' a d'fhreagair an cócaire. 'Bhí tú go maith riamh le cúrsaí gnó agus rialacha, a Sheoirse Merry,' Léigh sé an méid a bhí scríofa ar an taobh eile. 'Ah, "Scortha", an ea? Agus é scríofa go deas néata. Nach agat atá an cumas scríbhneoireachta, a Sheoirse? Is gearr go mbeidh tú i do chaptaen orainn!'

'Éirigh as, anois,' arsa Seoirse. 'Níl tú in ann dallamullóg a chur orainn níos mó. Tar anuas den bhairille sin anois agus cabhraigh linn é seo a chur ar vóta.'

'Shíl mise go raibh na rialacha ar fad ar eolas agat,' arsa Silver go drochmheasúil leis. 'Is léir nach bhfuil, ach tá siad ar eolas agamsa, agus is mise an captaen atá oraibh nó go gcloisfimid bhur gcúiseanna gearáin agus go dtabharfaidh mise freagra orthu. Go dtí sin ní fiú deich dtriuf bhur spoitín dubh!'

'Ná bíodh aon dul amú ort,' a d'fhreagair Seoirse, 'táimidne ar fad ar aon intinn anseo. Ar an gcéad dul síos, rinne tú brachán den turas seo. A dó, lig tú an namhaid as an ngaiste gan chúis. A trí, níor lig tú dúinn fogha a thabhairt fúthu nuair a bhí siad ag imeacht. Agus a ceathair, an buachaill seo.'

'An é sin é?' a d'fhiafraigh Silver go ciúin.

'Sin é do dhóthain,' a d'fhreagair Seoirse. 'Crochfar muid ar fad mar gheall ar do chuid útamála.'

'Bhuel, fan anois go bhfreagróidh mé na ceithre phointe seo, ceann i ndiaidh a chéile. Rinne mé brachán den turas seo, an ndearna? D'fhéadfá a rá go bhfuil an turas seo ina bhrachán, agus cé ba chiontaí leis sin? Cé a chuir i m'aghaidh ón tús? Cé eile ach Handerson, agus Hands, agus tusa, a Sheoirse Merry!'

Tharraing Silver anáil. Bhí na fir ina dtost. 'Sin an chéad phointe,' a dúirt sé.

'Abair leat, a John,' arsa Morgan. 'Céard faoi na pointí eile?'

'Na pointí eile!' arsa John. 'Uimhir a ceathair, an buachaill — nach bhfuil sé ina ghiall againn? Agus cén chiall a bheadh le giall a mharú! Agus uimhir a trí? Bhuel, bhí sibh breá sásta an dochtúir a fheiceáil nuair a tháinig sé — tusa, a John, agus do chloigeann briste — agus tusa, a Sheoirse Merry, agus tú ag creathadh le fiabhras cúpla uair an chloig ó shin, agus do shúile fós ar dhath na líomóide? Agus maidir le huimhir a dó, agus an t-údar a bhí agam le margadh — bhuel, sibh féin a d'iarr é — agus chaillfí leis an ocras sibh mura ndéanfainn margadh leo. Ach tá tuilleadh ann!'

Chaith sé bileog a d'aithin mé ar an urlár, an chairt a raibh na trí chros dhearga uirthi, agus a fuair mé san éadach i gcófra an chaptaein. Bhain sé stangadh as na foghlaithe mara. Léim siad uirthi, mar a dhéanfadh cat ar luchóg, agus cuireadh thart í, ó lámh go láimh, agus leis an gcaint agus an ngáire a bhí acu shílfeá go raibh an t-ór féin faighte acu.

'Sin é Flint, cinnte le Dia,' arsa duine amháin, 'J. F., agus marc in íochtar, mar a dhéanadh sé riamh.'

'Go hálainn,' arsa Seoirse, 'ach cén mhaith dúinn é mura bhfuil long againn?'

Phreab Silver ina sheasamh, a lámh in aghaidh an bhalla aige: 'Tá mo dhóthain amaidí cloiste agam. Chaill sibhse an long, fuair mise an t-órchiste. Agus anois, táim ag éirí as. Bíodh an diabhal agaibh! Toghaigí bhur rogha captaein, táimse réidh libh!'

'A Silver!' ar siad as béal a chéile. 'Beárbaiciú abú! Beárbaiciú ina chaptaen!'

'Sin é an port anois, an ea?' arsa an cócaire. 'Beidh sé píosa eile sula mbeidh tú i do chaptaen, a Sheoirse, agus bí buíoch de nach duine díoltasach mé. Agus maidir leis an spota dubh, tá mí-ádh tarraingthe ag Dic bocht air féin agus gan a dhath aige dá bharr.'

'Pógfaidh mé an leabhar agus déanfaidh sin, nach ndéanfaidh?' arsa Dic, agus é míshásta leis féin.

'Leathanach a stróiceadh as an mBíobla!' arsa Silver go dímheasúil. 'Seo, a Jim — ní fhaca tú ceann acu sin cheana,' ar sé, agus chaith sé chugam an píosa páipéir.

Bhí sé chomh mór le bonn corónach. Bhí taobh amháin bán, agus ar an taobh eile bhí véarsa nó dhó as Apacailipsis Eoin — agus maireann na cúpla focal sin i m'intinn: 'Amach leis na

madraí, na hasarlaithe, na hadhaltranaigh, na dúnmharfóirí.'
Bhí luaith na tine cuimilte ar an taobh clóite — agus é ag teacht
de ar mo mhéara — agus ar an taobh bán bhí focal amháin
scríofa: 'Scortha.'

B'in deireadh leis an gcruinniú, agus ba ghearr ina dhiaidh
sin gur ólamar braon rum agus go ndeachamar a chodladh. Mar
dhíoltas, bhí Seoirse Merry curtha ar dualgas faire ag Silver, agus
bagairt déanta aige go maródh sé é mura bhféadfaí brath air.

Ba ghearr go raibh Silver ag srannadh le mo thaobh, agus
chaithfinn a rá go raibh trua agam dó nuair a chuimhnigh mé
ar na contúirtí a bhí ar gach taobh de, agus ar an gcroch a bhí i
ndán dó.

30

Ar Parúil

Guth ag glaoch ón gcoill a dhúisigh muid: 'Hóra, a mhuintir an tí! Seo é an dochtúir.' Agus ba é a bhí ann. Cé go raibh mé breá sásta é a fheiceáil bhí náire freisin orm. Ba léir go raibh sé ar a chois sa dorchadas, mar ní raibh an lá ach ag breacadh nuair a chuir mé mo shúil leis an bpoll faire lena fheiceáil ag teacht chugainn tríd an gceo.

'Tá tú i do shuí go breá moch, a dhochtúir, bail ó Dhia ort!' a bhéic Silver go croíúil. 'In ainm Dé, a Sheoirse, tabhair cúnamh don dochtúir dul thar an sconsa.'

Sheas sé amach os comhair an tí agus a mhaide croise faoina ascaill aige. 'Agus tá féirín againn duit, a dhuine uasail,' ar sé. 'Tá cuairteoir anseo againn.'

Bhí an sonnach caite ag an Dochtúir Livesey agus é tagtha chomh fada leis an gcócaire. 'Jim, an ea?'

'An Jim céanna,' arsa Silver.

Rinne an dochtúir staic. 'Bhuel, bhuel,' ar sé, faoi dheireadh, 'déanfaidh mé mo dhualgas ar dtús, agus labhróidh mé leis ina dhiaidh sin. Anois, a Silver. Breathnóimid ar na hothair seo.'

Isteach sa teach leis agus chuaigh i mbun oibre. 'Tá tusa ag déanamh maith go leor, a chomrádaí,' ar sé le fear an chloiginn thinn, 'agus nach ort a bhí an t-ádh. Chaithfeadh sé go bhfuil cloigeann cruaiche ort!' Cé gur chuir sé é féin i mbaol a bháis i measc na rógairí fealltacha seo, chaith sé leo mar a dhéanfadh gnáthdhochtúir teaghlaigh i mbun cuairte. 'Agus tusa, a Sheoirse, cén chaoi a bhfuil tú? Tá dath breá ort, chaithfeadh sé go bhfuil na haenna ag tabhairt uathu. Ar chaith tú an leigheas a thug mé duit?'

'D'ól sé é, ceart go leor, a dhuine uasail,' arsa Morgan.

'Go maith,' arsa an Dochtúir Livesey de gháir. 'Níor mhaith liom go scuabfaí duine ar bith ón gcroch.'

Bhreathnaigh na bucainéirí ar a chéile gan focal. 'Níl Dic go maith, a dhuine uasail,' arsa duine amháin.

'Nach bhfuil?' a d'fhreagair an dochtúir. 'Gabh i leith go mbreathnóimid ort, a Dic, agus cuir amach do theanga. Go bhfóire Dia orainn ach tá teanga ar an bhfear sin a chuirfeadh rith ar na Francaigh! Fiabhras.'

'Anois,' arsa Morgan, 'sin a tharlaíonn don té a stróiceann an Bíobla.'

'Sin a tharlaíonn nuair a champálann sibh i riasc lán le maláire! A Silver, cuireann tú iontas orm!'

Thug sé leigheas do na fir, agus nuair a bhí an méid sin déanta aige d'iarr sé labhairt liomsa.

Bhí Seoirse Merry ag an doras, agus é ag casacht tar éis dó a chuid leighis a shlogadh. 'Dár m'anam, ní labhróidh!' a bhéic sé.

Bhuail Silver a láimh anuas ar an mbairille agus lig béic fhíochmhar as. 'Éistigí!' Ansin labhair go séimh liom. 'A Jim,' ar sé, 'an dtabharfaidh tú d'fhocal dom nach ndéanfaidh tú iarracht éalú?'

Thug mé m'fhocal dó.

'Má sheasann tú amach thar an sconsa, a Dhochtúir,' arsa Silver, 'tabharfaidh mise an buachaill chomh fada leat, agus féadfaidh sibh dul ag caint thar an sconsa. Slán leat, a dhuine uasail, agus abair muid leis an Squire agus leis an gCaptaen Smollett.'

Chomh luath is a d'fhág an dochtúir an teach bhí sé curtha i leith Silver go raibh feall á réiteach aige, agus go raibh margadh á dhéanamh aige dó féin — rud ab fhíor do na foghlaithe mara.

D'iompaigh sé ar ais orthu agus an chairt ina láimh aige. 'Má tá sibh ag iarraidh orm an margadh seo a bhriseadh leis an dochtúir agus gan an t-órchiste faighte fós againn, tá dul amú oraibh! Brisfimid an conradh seo nuair a fheilfidh sé dúinn féin é sin a dhéanamh, agus go dtí sín, más gá é a dhéanamh, cuimleoidh mise mil den dochtúir — cuimleoidh agus branda, más gá é sin a dhéanamh!'

D'ordaigh sé dóibh tine a lasadh, agus threoraigh sé amach mé. 'Go réidh, a bhuachaill, go réidh,' ar sé. 'D'fhéadfaidís iompú orainn i bhfaiteadh na súl.'

Go cúramach, thrasnaíomar an gaineamh go dtí an áit ina raibh an dochtúir ag fanacht linn ar an taobh thall den sonnach. Sheas Silver, sular tháinig mé chomh fada leis an sonnach, agus labhair sé leis an dochtúir. 'Ná déan dearmad, a dhochtúir,' ar sé, 'inseoidh an buachaill duit gur sheas mé leis, agus tá súil agam go seasfaidh tusa liom. Agus ní mise amháin atá i gceist anseo, tá an buachaill i gcontúirt freisin.'

Ba mhór an t-athrú a bhí tagtha ar Silver ó thug sé a dhroim leis an teach. Bhí a leicne tite agus bhí creathán ar a ghlór, agus cuma an-dáiríre air.

'A John, níl faitíos ort, an bhfuil?' a d'fhiafraigh an Dochtúir Livesey de.

'A Dhochtúir, ní cladhaire ar bith mé, ach níl aon fhonn orm aghaidh a thabhairt ar an gcroch. Ná déan dearmad go bhfuil maith déanta agam. Fágfaidh mé anois sibh.'

D'imigh sé ar ais go dtí an áit a raibh na fir cruinnithe thart ar an tine agus bricfeasta á réiteach acu.

'Bhuel, a Jim,' arsa an dochtúir go brónach, 'Mar a chuireann tú an síol is ea a bhainfidh tú an fómhar, a bhuachaill. Ní féidir liom milleán a chur ort, ach sílim nach raibh sé de cheart agat imeacht mar a rinne tú nuair a bhí an Captaen Smollett tinn.'

Admhaím gur tháinig na deora liom. 'A dhochtúir,' a deirim, 'ní mhaithfidh mé dom féin go deo é, ach táim réidh anois, agus bheinn caillte i bhfad ó shin murach gur sheas Silver liom. Tá faitíos orm go ndéanfaidh siad spídiúlacht orm….'

Tháinig an dochtúir romham. 'A Jim,' ar sé. 'In ainm Dé, caith an sconsa seo de léim agus rithfimid.'

'A Dhochtúir,' a deirimse, 'thug mé m'fhocal.'

'Tá a fhios agam gur thug,' ar sé go cantalach. 'Níl neart air sin, a Jim, ach ní féidir liom cabhrú leat anseo. Léim, in ainm Dé, agus rithfimid.'

'Ní léimfidh,' a d'fhreagair mé. 'Thug mé m'fhocal do Silver. Ach níor lig tú dom críochnú. Má chéasann siad mé, tá faitíos orm go n-inseoidh mé dóibh cá bhfuil an long, mar tá an long tógtha agam, agus tá sí tugtha i dtír agam sa Chrompán Thuaidh, ar an trá, díreach faoin snáth mara.'

'An long!' a scairt an dochtúir.

Rinne mé cur síos sciobtha ar ar tharla.

'Ní hé seo an chéad uair a shábháil tú ár mbeatha,' ar sé, 'agus ba bhocht an scéal é dá gcaillfeá do bheatha-sa dá bharr. Is tú a nochtaigh an chomhcheilg, agus is tú a d'aimsigh Ben Gunn.' D'iompaigh sé i dtreo na bhfoghlaithe mara. 'A Silver!' ar sé de bhéic. 'A Silver! Mo chomhairlese duit,' ar sé, agus an cócaire ag teannadh linn, 'ná bíodh aon deifir oraibh i ndiaidh an órchiste.'

'A dhuine uasail, déanfaidh mé mo dhícheall teacht air,' arsa Silver. 'Tá mo bheatha-sa agus beatha an bhuachalla ag brath air.'

'Más in an scéal é,' a d'fhreagair an dochtúir, 'déarfaidh mé an méid seo leat, beidh trioblóid ann nuair a thiocfaidh sibh air.'

'A dhuine uasail,' arsa Silver, 'mura ndéarfaidh tú glan amach liom céard atá i gceist agat, is beag is féidir liom a dhéanamh.'

'Ní dhéarfaidh mé a dhath eile, a Silver,' arsa an dochtúir go smaointeach. 'Ach an méid seo, coinnigh an buachaill le d'ais, agus nuair a bheidh cúnamh uaibh lig béic. Slán agat, a Jim.'

Chroith an Dochtúir Livesey lámh liom thar an sconsa, agus d'imigh sé leis go sciobtha isteach sa choill.

31

Tóraíocht an Óir:
Compás Flint

'**A** Jim,' arsa Silver nuair a bhíomar asainn féin, 'má
shábháil mise do bheatha-sa, shábháil tusa mo
bheatha-sa, agus ní dhéanfaidh mé dearmad air.
Chonaic mé an dochtúir ag iarraidh ort imeacht, chonaic sin,
agus chuala mé thú ag rá leis nach n-imeofá. Agus táim buíoch
díot. Má sheasaimid le chéile anois — gualainn ar ghualainn,
mar a déarfá — tabharfaimid na cosa linn.'

Cuireadh fios orainn chuig bricfeasta ansin, agus ba ghearr
go rabhamar inár suí ar an ngaineamh ag ithe brioscaí is bagúin.

Bhí tine mhór lasta ag na fir agus bhí sí chomh te nach
bhféadfaí a theacht i ngar di gan seasamh ar thaobh na gaoithe.
Bhí a thrí oiread rósta acu is a d'íosfadh muid agus, nuair a bhí
ite againn, chaith duine acu an méid a bhí fanta sa tine. Níor
casadh riamh roimhe sin orm dream a chuir a laghad sin suime
sa lá a bhí le teacht. Cé go raibh siad cróga agus dána nuair a
tháinig sé go dtí é, ba léir ón mbia á chur amú agus ó na fir faire
ina gcodladh, nach raibh mórán acmhainn acu ar fheachtas fad-
tréimhseach. Fiú Silver, ní bhfuair sé aon locht ar an tsiléig seo.

'A chomrádaithe,' ar sé, 'is mór an mhaith go bhfuil

[154]

Beárbaiciú agaibh leis an gcloigeann a oibriú daoibh. B'fhéidir go bhfuil an long acu, ach chomh luath is a bheidh an t-órchiste againne beidh orainn dul ar thóir na loinge. Nuair a bheidh sí sin againn, beidh an lámh in uachtar againn.' Agus choinnigh sé air ar an gcaoi sin, a bhéal lán le bagún, agus é ag iarraidh a meanma — agus a mheanma féin, b'fhéidir — a ardú. 'Maidir leis an ngiall,' ar sé, 'coinneoidh mé le m'ais é nuair a bheimid ar thóir an óir — ar fhaitíos na bhfaitíos — agus nuair a bheidh an t-órchiste agus an long againn, cuirfimid chun farraige agus, dar ndóigh, tabharfaimid a chuid féin den ór don Uasal Hawkins.'

De réir mar a bhí an giúmar ar na fir ag feabhsú bhí an t-éadóchas ag teacht orm féin. Ba léir dom go raibh cos ag Silver sa dá champa, agus gurbh fhearr leis saibhreas agus saoirse i gcuideachta na bhfoghlaithe mara ná a chosa a thabhairt leis ar éigean ón gcroch, mar a bhíomarna ag gealladh dó. Ach céard a tharlódh dá n-iompódh a chuid cairde air, agus go mbeadh orainn troid ar son ár n-anamna — cláiríneach agus buachaill in aghaidh cúigear mairnéalach láidre!

Nuair a chuimhnigh mé ar imeacht thobann mo chairde as an dúnfort, ar an gcaoi ar thug siad uathu an chairt, agus ar an bhfainic a chuir an dochtúir ar Silver, ba go héadóchasach tromchroíoch a d'fhág mé an dúnfort tar éis bricfeasta le dul sa tóir ar an órchiste.

B'aisteach go deo an feic muid. Bhí piocóidí is sluaiste ag cuid de na fir; agus bagún, arán agus branda ag an gcuid eile. Bhí ár gcuid éadaigh salach stróicthe; agus gach duine ach mé féin armáilte go draid. Dhá ghunna a bhí ag Silver — ceann amháin ina láimh is ceann eile ar a dhroim — agus claíomh ina thruaill agus piostal i ngach póca ar a chóta mór. Agus bhí mise mar a

bheadh béar ar cheann téide aige — rópa timpeall mo bhásta agus bun an rópa ina láimh ag Silver, agus scaití eile faoina fhiacla aige. Anuas air sin, bhí an Captaen Flint suite ar a ghualainn agus é ag cabaireacht gan stopadh.

Rinneamar ár mbealach go dtí an trá, áit a raibh an dá bhád

iomartha ag fanacht linn. B'éigean iad a thaoscadh agus iad a chur i bhfarraige. Sheasamar ansin chun an chairt a scrúdú. Bhí an chrosóg dhearg rómhór le bheith ina cabhair againn, agus bhí doiléire ag baint leis an nóta ar a cúl:

Crann ard, gualainn na gloine féachana, ó thuaidh lámh soir.
Oileán na gCnámh agus soir lámh ó dheas. Deich dtroigh.

An crann ar dtús. Amach romhainn, bhí an cuan timpeallaithe ag ardán idir dhá chéad is trí chéad troigh ar airde, agus é ag ardú ó thuaidh go dtí an Ghloine Féachana agus ó dheas go mullach ard Chnoc an Chrainn Deiridh. Thuas ar an ardán bhí crainn phéine agus, anseo is ansiúd, crainn mhóra arda de chineál éigin eile — d'fhéadfadh sé gur ceann acu sin a bhí i gcrann an Chaptaein Flint. Chaithfí dul chomh fada leo agus léamh a thógáil ar an gcompás.

Luíomar isteach ar na maidí agus, faoi threoir Silver, chuireamar i dtír i mbéal an dara habhann — díreach faoin nGloine Féachana. D'imíomar romhainn de shiúl na gcos, tríd an riasc ar dtús, ansin trí chlochar tirim agus, ar deireadh, trí choill oscailte ina raibh giolcach shléibhe agus plandaí faoi bhláth ar gach taobh dínn, agus doirí beaga noitmigí lasta faoi sholas na gréine, agus an t-aer lán le boladh úr spíosrach.

Bhíomar ag teacht go barr an aird nuair a chualamar béic ó dhuine de na fir.

'Ní fhéadfadh sé go bhfuil an t-órchiste aimsithe aige,' arsa Sean-Mhorgan, agus é ag deifriú leis in airde.

Nuair a thángamar chomh fada leis fuaireamar crann mór péine romhainn agus eidhneán ag fás suas an chabhail. Sínte faoin eidhneán, bhí cnámharlach duine agus cúpla ball éadaigh air. Reoigh mo chroí.

'Mairnéalach a bhí ann,' arsa Seoirse Merry. Chrom sé os a chionn agus scrúdaigh sé an t-éadach. 'Éadach maith loinge é seo.'

'Is ea, dar ndóigh,' arsa Silver. 'Ní raibh tú ag súil go dtiocfá ar easpag anseo, an raibh? Ach nach aisteach an chaoi a bhfuil sé ina luí?'

Bhí an fear sínte amach i líne dhíreach, a chosa ag síneadh i dtreo amháin, agus a lámha crochta os a chionn — amhail mar a bheadh ar thumadóir.

'Is compás é seo,' arsa Silver. 'Tá sé dírithe ar Oileán na gCnámh. Tóg léamh ar an gcompás go bhfeicfidh tú.' Rinneadh é sin. Soir lámh ó dheas a bhí ar an gcompás.

'Mar a shíl mé,' arsa Silver. 'Treoir atá anseo. Thuas ansin atá an réalta thuaidh agus an t-ór. Ach, dar príosta, nárbh é Flint an diabhal! Thug sé seisear leis suas anseo, agus mharaigh sé gach uile dhuine acu. Tharraing sé an duine seo aníos anseo agus rinne sé compás de. Cnámha fada iad, agus bhí gruaig fhionn air. D'fhéadfadh sé gur Allardyce a bhí ansin. An cuimhin leatsa Allardyce, a Tom Morgan?'

'Is maith is cuimhin liom é,' arsa Morgan. 'Bhí airgead aige orm, an bithiúnach, agus thug sé mo sciansa leis i dtír.'

'Ós ag caint ar sceana muid,' arsa duine eile, 'cén fáth nach gcuardódh muid a cheann siúd? Is ar éigean go dtógfadh Flint í, agus ní bheadh na héin in ann í a thógáil.'

'Níl dada fanta anseo,' arsa Merry, agus é ag cuardach i measc na gcnámh, 'oiread is cianóg rua ná bosca tobac féin.'

'Tá rud éigin mínádúrtha faoi,' arsa Silver. 'Dá mbeadh Flint beo inniu is anseo a bheadh muidne curtha aige. Bhí seisear acu ann, agus níl ach seisear againne anois ann!'

'Nach bhfaca mé marbh é le mo shúile cinn,' arsa Morgan.

'Thug Billí isteach mé lena fheiceáil, agus dhá phingin leagtha ar a shúile!'

'Is cinnte go bhfuil sé ag coinneáil comhluadair leis an Diabhal féin ag an nóiméad seo,' arsa fear an bhindealáin, 'ach dá mbeadh spiorad ag siúl is cinnte gur spiorad Flint a bheadh ann. Nach é a fuair an drochbhás!'

'Fuair sin,' arsa ceann eile. 'É ag béiceadh is ag glaoch ar rum, agus é ag gabháil fhoinn gan stop. Aon amhrán amháin a bhí aige, "Cúig Fhear Déag", agus deirimse leat nár thaitin liom é a chloisteáil ó shin.'

'Éirímis as an gcaint seo,' arsa Silver. 'Tá sé marbh agus curtha i gcré na cille, agus ní shiúlfaidh sé arís le solas an lae. Fágaimis seo, in ainm Dé, agus gabhaimis sa tóir ar na dúblúin óir!'

Bhí an ghrian go hard anois agus, in ainneoin sholas geal an lae, ghluais na foghlaithe mara rompu agus iad níos ciúine.

32

Tóraíocht an Óir:
An Glór sna Crainn

Nuair a bhaineamar barr an aird amach, shuíomar ar fad ar an bhféar lenár scíth a ligean, agus bhreathnaíomar amach thar an tír ar gach taobh dínn, agus ar an bhfarraige ag síneadh uainn soir, gan oiread agus seol le feiceáil uirthi. Ní raibh le cloisteáil ach monuar na bhfeithidí san fhiataíl.

Scrúdaigh Silver an compás. 'Tá trí chrann mhóra idir muid agus Oileán na gCnámh,' ar sé. 'Beidh sé éasca go leor teacht ar an ór. B'fhéidir gur chóir dúinn greim a ithe ar dtús.'

'Nílimse ag aireachtáil rómhaith,' arsa Morgan faoina fhiacla. 'Níl an chaint seo ar Flint ag déanamh aon mhaith dom.'

'Bhuel, a mhiceo, nach maith an rud go bhfuil sé básaithe,' arsa Silver.

'Ba ghránna an diabhal é,' arsa duine eile acu, 'agus an dath gorm sin a bhí ar a éadan!'

'Ba é an rum ba chúis leis sin,' arsa Merry.

Go tobann, sna crainn amach os ár gcomhair, chualamar guth caol ard ag gabháil fhoinn:

Cúig fhear déag ar chiste an fhir bháite —
Ió-hó-hó agus buidéal rum!

Thosaigh na foghlaithe mara ag athrú dathanna, léim siad ina seasamh, rug cuid acu greim ar a chéile. Bhí Morgan ar a ghlúine ar an talamh.

'Is é Flint atá ann, dar…!' a bhéic Merry.

Stop an t-amhrán i lár nóta amhail is — mar a dúirt duine amháin — gur leag duine éigin lámh ar bhéal an amhránaí.

'Fágaimis seo,' arsa Silver, agus creathán ar a ghlór. 'Ná cuireadh sé faitíos oraibh, níl ann ach duine éigin ag iarraidh bob a bhualadh orainn — duine éigin atá chomh beo linn féin.'

Thosaigh na fir ag teacht chucu féin, agus bhí siad ar tí tosú ag siúl arís nuair a chualamar an glór céanna, ach ní ag amhránaíocht a bhí sé an uair seo. Scairt sé amach as áit éigin ar an nGloine Féachana: 'A Deairbe Mhic Craith,' a bhéic sé. 'A Deairbe Mhic Craith! A Deairbe Mhic Craith!' arís is arís eile, ansin lig sé mallacht as, agus bhéic arís: 'Tabhair chugam an rum, a Deairbe!'

Bhí na bucainéirí greamaithe den talamh agus na súile leathnaithe orthu. 'Sin é!' a dúirt duine amháin. 'Fágaimis seo.'

'B'in iad na focail dheireanacha a labhair sé,' arsa Morgan. 'Na focail dheireanacha ar an saol seo.'

Bhí an Bíobla amuigh ag Dic agus é ag paidreoireacht os ard, ach ní raibh Silver buailte. Bhí mé in ann na fiacla a chloisteáil ag creathadh ina ghiall, ach ní raibh sé réidh le stríocadh.

'Níor airigh duine ar bith ar an oileán seo caint ar Deairbe,' ar sé, 'cé is moite dínn féin.' Dhírigh sé suas: 'A chomrádaithe,' ar sé os ard, 'táimse ag dul ar thóir an óir, agus ní stopfaidh deamhan ná diabhal mé. Ní raibh faitíos orm roimh Flint lena bheo, agus m'anam nach mbeidh faitíos orm roimhe agus é básaithe. Tá seacht gcead míle punt ag fanacht linn ceathrú míle as seo. Cén fear farraige a d'iompódh post loinge leis an méid sin dollar mar gheall ar sheanmhairnéalach óltach a raibh pus gorm air — agus é básaithe?'

Ach ba léir go raibh an misneach caillte ag na fir.

'Go réidh anois, a John!' arsa Merry. 'Níl tú ag iarraidh cantal a chur ar spiorad!'

Maidir leis an gcuid eile de na fir, bheidís bailithe leo murach an faitíos a bhí orthu, agus choinnigh an faitíos le chéile iad i ngar do Silver.

'Spiorad?' ar sé. 'Chuala sibh an macalla. Anois, ní fhaca duine ar bith spiorad riamh a raibh scáil aige. Cén chaoi a mbeadh macalla aige, mar sin?'

Lig Seoirse Merry osna faoisimh as. 'Tá an ceart ansin agat,' ar sé. 'Tá cloigeann ortsa, a John, agus níl amhras ar bith faoi sin. Agus nuair a chuimhním air, bhí sé cosúil le glór Flint, ach ní raibh sé baileach ceart — bhí sé níos cosúla le….'

'Ben Gunn!' a bhéic Silver.

'Sin é go díreach,' arsa Morgan. 'Ben Gunn a bhí ann!'

'Cén difríocht a dhéanann sé sin?' a d'fhiafraigh Dic. 'Ach oiread le Flint, níl Ben Gunn anseo.'

'Níor chuir Ben Gunn faitíos ar dhuine ar bith riamh,' arsa Merry, 'beo ná marbh.'

Bhí siad ar ais ar a seanléim arís, agus Seoirse Merry ag siúl i dtreo Oileán na gCnámh agus compás Silver amuigh roimhe aige. Cé is moite de Dic, a raibh an Bíobla fós ina láimh aige, bhí cuma níos fearr ar na fir.

Go deimhin, bhí an chuma ar Dic bocht go raibh an

fiabhras tolgtha aige, agus é ag rámhaille os ard: 'Ní bheidh aon ádh go deo ar an té a rinne é seo. Cén pleota a chuaigh ag stróiceadh leathanaigh as an mBíobla? Abair do chuid paidreacha, a Dic,' ar sé. 'Tá a chnaipe déanta ag Dic bocht, féadfaidh sibh a bheith cinnte de sin.'

Ghluaiseamar romhainn le fána, ag imeacht idir crainn mhóra phéine agus doirí beaga noitmigí agus azalea, agus an ghrian ag scalladh anuas orainn. Nuair a bhaineamar amach an chéad chrann ard, thuigeamar ón gcompás nach rabhamar ag an áit cheart, agus ba mhar a chéile é ag an dara crann. Bhí an tríú ceann ag fás beagnach dhá chéad troigh in airde os cionn planda mór a raibh stoc dearg air. Bhí an crann chomh hard agus go mbeadh sé le feiceáil go soiléir ón bhfarraige.

Ach níorbh é an airde a bhí ag déanamh imní do mo chuid compánach, ach na seacht gcéad míle punt a shamhlaigh siad faoina bhun. Rinneadh dearmad ar an bhfaitíos a bhí orthu roimhe sin agus ghéaraigh siad ar a gcosa. D'imigh Silver féin ag preabadh ina ndiaidh ar a mhaide croise, é ag eascainí go fíochmhar agus é ag iarraidh na cuileoga a ruaigeadh. Ó am go ham thugadh sé súil choncair ormsa. Ní raibh aon iarracht á déanamh aige a chuid smaointe a cheilt níos mó. Ba léir, agus muid ag teannadh leis an ór, go raibh dearmad déanta aige ar a ghealltanas agus ar fhainicí an dochtúra, agus nach raibh ag déanamh imní dó ach an t-órchiste a bhreith leis, teacht ar an *Hispaniola* agus, faoi scáth na hoíche, gach uile scornach ar an oileán a ghearradh, agus seoladh leis faoi ualach an óir.

Ag cuimhneamh ar an mbucainéir uafásach a bhí mise — é siúd a cailleadh i Savannah agus é ag gabháil fhoinn is ag glaoch ar a thuilleadh óil — agus é ar an gcnocán seo, ag cur a chuid comrádaithe chun báis. Shamhlaigh mé na béiceanna uafáis sa doire síochánta ina raibh mé, agus bhí an oiread faitís anois orm, go raibh sé ag teacht dian orm coinneáil leis na foghlaithe mara. Thit mé ag pointe amháin, agus thug Silver tarraingt ar an rópa agus thug súil mharfach orm. Bhí Dic ar gcúl ar fad, agus é ag cabaireacht leis féin de réir mar a bhí an fiabhras ag breith air.

'Hóra, a chomrádaithe!' a bhéic Merry, agus rith an chuid eile chuige. Ansin stop siad ar fad. Chualathas béic. Ghéaraigh Silver ar a chois gur tháinig mé féin agus é féin ar pholl sa talamh. Seanpholl, ba léir, mar bhí na taobhanna tite isteach agus an féar ag fás in íochtar. Bhí feac briste piocóide sa pholl, agus cúpla clár briste. Ar cheann acu bhí 'An Rosualt' scríofa — an t-ainm a bhí ar long Flint.

Ba léir go rabhthas tar éis teacht ar an órchiste agus é a thabhairt as seo. Bhí na seacht gcéad míle punt imithe!

33

Titim an Taoisigh

Shílfeá gur buaileadh buille ar an seisear. Ba é Silver ba thúisce a tháinig chuige féin. Bhí an scéal meáite aige agus a phlean athraithe aige sula raibh an deis ag an gcuid eile corraí.

'A Jim,' ar sé i gcogar i mo chluais, 'tóg é sin agus bí réidh le haghaidh a thabhairt ar thrioblóid.' Shín sé piostal dhá bhairille chugam, agus thóg sé cúpla coiscéim agus chuir sé an poll idir muid agus an cúigear eile.

Léim na bucainéirí, duine i ndiaidh a chéile, isteach sa pholl, agus chuaigh siad ag scríobadh is ag tochailt lena méara. Tháinig Morgan ar bhonn óir. Lig sé rois mallachtaí as agus chroch in airde é. Bonn dhá ghine a bhí ann, agus cuireadh thart ó dhuine go chéile é.

'Dhá ghine!' a bhéic Merry, á bhagairt ar Silver. 'Sin é do sheacht gcéad míle punt, an ea? Tusa fear na margaí, nach thú? Tusa an fear nach ndearna brachán den turas, a phleota!'

'Coinnígí oraibh ag tochailt, a bhuachaillí,' arsa Silver, 'agus tiocfaidh sibh ar chúpla tornapa!'

'Tornapaí!' a bhéic Merry. 'Ar airigh sibh é sin, a

chomrádaithe? Céard a dúirt mé libh ón tús?'

'Á! Muise, a Sheoirse,' arsa Silver, 'tá tú ag iarraidh a bheith i do chaptaen, arís, an bhfuil?'

Ach bhí na fir ar fad ar thaobh Sheoirse Merry an uair seo. Tháinig siad amach as an bpoll, agus sheasamar thart timpeall ar an bpoll, cúigear ar thaobh amháin agus beirt ar an taobh eile. Níor chorraigh Silver. Stán sé go dána sa tsúil orthu.

'A chomrádaithe,' arsa Merry, 'níl ach beirt acu ann, an cláiríneach a mheall anseo muid, agus an coileáinín beag sin a bhfuil mise leis an gcroí a ghearradh as a chliabhrach. Anois, a bhuachaillí!'

Chroch sé a lámh, agus é ar tí fogha a thabhairt fúinn, nuair a tháinig pléascadh — craic! craic! craic! — agus trí philéar mhuscaeid á gcaitheamh linn as an gcoillearnach. Thit Merry i ndiaidh a mhullaigh isteach sa pholl, caitheadh fear an bhindealáin anuas ar a thaobh, agus d'imigh an triúr eile de rith chomh maith is a bhí ina gcosa.

I bhfaiteadh na súl bhí dhá philéar caite ag Long John le Merry, agus é ag tabhairt na gcor sa pholl. 'A Sheoirse,' ar sé, 'tá do chnaipe déanta anois.'

Tháinig an dochtúir, Grae, agus Ben Gunn amach as na crainn noitmigí, agus deatach ag éirí ó bhairillí a gcuid gunnaí.

'Go beo!' a bhéic an dochtúir. 'Ná ligimis dóibh na báid a bhaint amach!'

D'imíomar linn de rith trí na crainn, agus Silver ar a mhíle dícheall ag preabarnach inár ndiaidh. Nuair a bhaineamar barr an aird amach bhí sé tríocha slat taobh thiar dínn agus é tachta le teann saothair.

'A dhochtúir,' a scairt sé, 'cén deifir atá oraibh!'

Bhí an ceart aige. Bhíomar in ann an triúr a fheiceáil ag rith i dtreo Chnoc an Chrainn Deiridh. Bhíomar cheana féin tagtha idir iad agus na báid. Shuíomar le breith ar ár n-anáil, fad is a bhí Long John ag teacht chomh fada linn.

'Ní raibh tú ach díreach in am, a dhochtúir,' ar sé. 'Murach sin bheinn féin agus Hawkins crochta acu. Agus is tú atá ann, go deimhin, a Bhen Gunn!' ar sé.

'Is mé, go deimhin,' a d'fhreagair an marúnaí, agus é ag lúbadh le cúthaileacht. 'Agus,' ar sé, tar éis tamaill, 'cén chaoi a bhfuil an tUasal Silver anois?'

Chuir an dochtúir Grae ar ais ag iarraidh ceann de na piocóidí a d'fhág na foghlaithe mara ina ndiaidh agus choinn-íomar orainn go deas réidh síos le fána an chnoic go dtí áit na mbád. I gcúpla focal, d'inis an dochtúir dom céard a thit amach, agus ba léir gurbh é Ben Gunn an laoch ó thús deireadh.

Bhí Ben, ar a chuid cuairteanna thart faoin oileán, tar éis teacht ar an gcnámharlach (ba é a thóg an scian), agus ar an ór. Thochail sé aníos é (agus d'fhág sé feac briste na piocóide ina dhiaidh) agus, diaidh ar ndiaidh, thug sé an t-ór ar fad leis ón gcrann ard go pluais a bhí ar chnoc an dá mhullaigh in oirthuaisceart an oileáin, agus is ann a bhí sé go sábháilte ó shin.

Nuair a fuair an dochtúir an t-eolas sin uaidh ar lá an ionsaithe, agus nuair a chonaic sé go raibh an long imithe as an gcuan, chuaigh sé chomh fada le Silver, thug sé dó an chairt (cairt a bhí gan mhaith anois), thug sé an stór bia dó — mar bhí pluais Bhen Gunn lán le feoil gabhair agus í saillte aige féin — agus é breá sásta aistriú ón dúnfort go háit níos sábháilte ar chnoc an dá mhullach, i bhfad ó chontúirt na maláire agus in áit go bhféadfadh sé súil a choinneáil ar an ór.

'Ní raibh mé ag iarraidh imeacht gan thú, a Jim,' ar sé, 'ach murar fhan tú in éindí linn cé air atá an milleán?'

An mhaidin sin, nuair a thuig sé go mbeinnse in éineacht leis na ceannaircigh nuair a nochtfaí dóibh go raibh an t-ór tógtha, rith sé chomh fada leis an bpluais, d'fhág sé an squire ag gardáil an chaptaein, agus thug sé leis Grae agus an marúnaí, agus ghearr sé trasna an oileáin le teacht i gcabhair orm. Ba ghearr go bhfaca sé go raibh na foghlaithe mara chun tosaigh air, agus chuir sé Benn Gunn rompu — mar bhí sé luathchosach go maith — le moill a chur orthu. Chuaigh Ben Gunn ag oibriú ar phiseoga na mairnéalach, agus faoin am ar tháinig an dochtúir agus Grae ar an láthair bhí na mairnéalaigh croite go maith aige.

'Nach orm a bhí an t-ádh,' arsa Silver, 'go raibh Hawkins anseo liom. Murach é, ligfeá dóibh stialla a bhaint de Long John, a dhochtúir.'

'Ligfinn,' a d'fhreagair an Dochtúir Livesey go sásta.

Nuair a bhaineamar na báid amach, chuaigh an dochtúir lena phiocóid ag briseadh ceann acu, agus shuíomar isteach sa cheann eile, agus thugamar ár n-aghaidh timpeall an oileáin ar an gCrompán Thuaidh.

Bhí a seacht nó a hocht de mhílte farraige ann. Agus, in ainneoin an tuirse a bhí air, tugadh maide rámha do Silver, agus cuireadh ag iomramh é leis an gcuid eile againn. Bhí an fharraige ciúin, agus ba ghearr gur scoitheamar gob thoir theas an oileáin, san áit ar thugamar an Hispaniola ar ceann téide cúpla lá roimhe sin.

Agus muid ag iomramh thar Chnoc an Dá Mhullach chonaiceamar pluais Bhen Gunn, mar a raibh fear ina sheasamh agus a mhuscaed mar thaca aige. An squire a bhí ann, agus chrochamar naipcín póca agus lig trí gháir asainn, agus Silver féin ag gárthach chomh maith le duine.

Trí mhíle níos faide suas an cósta, taobh istigh den chuan, thángamar ar an *Hispaniola*, agus í ag imeacht le sruth. Bhí an taoide tar éis í a chrochadh arís, agus dá mbeadh sruth níos láidre ann bheadh sí imithe orainn. Mar a tharla, ba bheag díobháil a bhí déanta uirthi, cé is moite den seol mór.

Threoraigh Ben Gunn muid go Cuan an Rum, an cuan ba ghaire don phluais, agus d'fhill Grae leis an mbád go dtí an *Hispaniola*, agus ordú tugtha dó garda a choinneáil uirthi.

Dhreapamar in aghaidh an aird gur bhaineamar béal na pluaise amach. D'fháiltigh an squire romhainn, ach nuair a bheannaigh Silver dó dhearg sé le fearg.

'A John Silver,' ar sé, 'is scabhaitéir thú agus bithiúnach. Deirtear liom nach bhfuilim leis an dlí a chur ort. Bíodh sin mar atá, tá fir mharbha ag crochadh de do mhuineál mar a bheadh bró mhuilinn ann!'

'Táim buíoch díot, a dhuine uasail,' a d'fhreagair Long John, agus rinne cúirtéis dó.

'Is agat atá an muineál!' a bhéic an squire. 'Is mór an náire dom é. Fan glan orm.'

Chuamar isteach sa phluais. Bhí sí mór agus leathan, agus bhí fuarán beag inti agus linn ghlan uisce, agus bhí an raithneach ag fás aníos tríd an urlár gainimh. Bhí tine lasta i mbéal na pluaise agus bhí an Captaen Smollett sínte lena taobh. I gcúinne amháin bhí na boinn óir carntha agus barraí óir leagtha ina airde ar a chéile. B'in an t-órchiste a thug an fhad seo muid agus údar báis sheacht duine dhéag de chriú an *Hispaniola*. Agus ní bheidh a fhios go deo cé mhéad eile a maraíodh agus an t-ór á chruinniú ag Flint, nó cé mhéad long a cuireadh go tóin poill; cé mhéad fear a cuireadh ag siúl an chláir; ná cé mhéad piléir gunna móir a scaoileadh ar mhaithe leis. Ach bhí triúr fós ar an oileán a bhí páirteach sna huafáis sin ar fad, agus a bhí ag súil le cuid den chreach.

'Tar isteach, a Jim,' arsa an captaen. 'is maith an buachaill thú, a Jim, ach ní dóigh liom go gcuirfimidne chun farraige le chéile arís. Táim rócheanúil ort.' Chonaic sé Silver. 'Céard a thugann anseo thusa?'

'Chun mo dhualgas a chomhlíonadh, a dhuine uasail,' arsa Silver.

'Á!' arsa an captaen, agus ní dúirt sé dada eile.

Ba againn a bhí an suipéar breá an oíche sin. D'itheamar gabhar saillte Bhen Gunn agus d'ólamar seanfhíon ón Hispaniola. Fiú Silver, a bhí suite siar ón tine, d'ith sé go hamplach agus rinne sé gáire chomh maith le duine — an Sean-Silver múinte céanna a rabhamar cleachtaithe air ar an turas amach.

34

Agus ar Deireadh

An mhaidin dár gcionn, thosaíomar ag iompar an óir an míle bealaigh síos go dtí an trá, agus ar bhád thar thrí mhíle farraige go dtí an *Hispaniola*. Ní dhearna an triúr ceannairceach ar an oileán mórán imní dúinn, agus mheasamar gur leor garda amháin a fhágáil ar faire ar thaobh an chnoic. Fad is a bhí Grae agus Ben Gunn ag teacht is ag imeacht sa bhád iomartha, bhí an chuid eile ag carnadh an órchiste ar an trá. Tharraingíodh gach uile fhear dhá bharra óir ina dhiaidh ar rópa, agus fágadh mise sa phluais ag cur na mbonn óir i málaí garbha.

B'aisteach go deo an bailiúchán a bhí ann, cosúil leis an éagsúlacht bonn a bhí ag Billí Bones ina chófra. Bhí boinn ann as Sasana, as an bhFrainc, as an Spáinn, agus as an bPortaingéil; seoirsí, laoisigh, dúblúin, giní, moiores agus seacaíní — agus pictiúir orthu de ríthe na hEorpa le céad bliain anuas — chomh maith le boinn chruinne is boinn chearnóga ón Domhan Thoir, agus boinn eile a raibh poll ina lár.

Tar éis trí oíche, bhí an dochtúir agus mé féin amuigh ag siúl nuair a chualamar cúpla focal d'amhrán ag teacht chugainn ar an ngaoth.

'Na ceannaircigh,' arsa an dochtúir. 'Go maithe Dia dóibh é!'

'Ar meisce, a dhuine uasail,' arsa Silver ar ár gcúl.

In ainneoin an doicheall a bhí roimhe, bhí cead a choise ag Silver, agus é ag dul thart inár measc amhail is gur dhuine dínn féin a bhí ann. Go deimhin, chaitheamar ar fad go droch-mheasúil leis, cé is moite de Bhen Gunn, a raibh faitíos air roimhe, agus díom féin. Bhí mise buíoch de, ach ag an am céanna bhí mé an-airdeallach air.

'Dá gceapfainn gur rámhaille fiabhrais a bhí orthu,' a dúirt an dochtúir, 'thabharfainn cúnamh dóibh, cuma cén baol a bheadh ann dom.'

'I gcead duit, a dhuine uasail, ní mholfainn duit é sin a dhéanamh,' arsa Silver. 'Mharóidís thú. Táimse ar do thaobhsa anois, agus níor mhaith liom go gcaillfí thú mar táim faoi chomaoin go mór agat. Agus maidir leis na daoine sin thíos, ní choinneoidís a bhfocal.'

'Agus tá a fhios againn,' arsa an dochtúir go glic, 'gur fear de réir d'fhocail thusa.'

Agus b'in an scéala deireanach a fuaireamar ó na foghlaithe mara nó gur chuireamar chun farraige. Shocraíomar iad a fhágáil inár ndiaidh — rud a thug an-sásamh do Bhen Gunn agus do Ghrae, ach go háirithe. D'fhágamar púdar agus piléir acu, cuid mhaith den ghabhar saillte, ábhar leighis, agus ruainnín tobac. Nuair a bhí an chuid deireanach den órchiste, den uisce agus den fheoil, ar bord againn, chrochamar ancaire agus sheolamar amach as an gCrompán Thuaidh.

Ba léir go raibh an triúr ag faire orainn i gcaitheamh an ama, mar chomh luath is a chasamar amach as an gcuan tháinig siad amach ar an trá, chaith siad iad féin ar a nglúine ar an ngaineamh agus a lámha crochta acu ag impí trócaire. Ghoill sé orainn iad a fhágáil sa riocht sin, ach ní fhéadfadh muid dul sa seans go n-éireoidís amach arís, agus ní bheadh ag fanacht rompu sa bhaile ach an chroch. Scairt an dochtúir amach orthu agus d'inis sé dóibh cá raibh an stór bia fágtha dóibh. Choinnigh siad orthu ag glaoch orainn, ach ar deireadh, ar fheiceáil dóibh go raibh an long ag casadh amach san fharraige, d'éirigh duine acu ar a chosa, chuir muscaed lena ghualainn, agus chuir piléar ag feadaíl os cionn Silver agus tríd an seol mór.

Chuamar ar an bhfoscadh taobh thiar de na ráillí ansin, agus nuair a bhreathnaigh mé amach arís bhí siad imithe, agus faoi mheán lae bhí Oileán an Órchiste ag sleamhnú uainn faoi íor na spéire.

Bhíomar chomh gann ar mhairnéalaigh gurbh éigean dúinn ar fad lámh chúnta a thabhairt, agus an captaen ag tabhairt orduithe dúinn agus é sínte ar a dhroim ar an deic. Thugamar aghaidh ar an gcalafort ba ghaire dúinn i nDeisceart Mheiriceá, mar nach bhféadfadh muid dul sa seans ar an turas fada abhaile gan criú breise, agus bhíomar traochta go maith nuair a chuamar i dtír.

Le dul faoi na gréine, bhámar ancaire i gcuan álainn foscúil, agus ba ghearr gur lasadh soilse an bhaile agus go rabhamar timpeallaithe ag báid bheaga ina raibh fir ghorma is fir bhuí ag iarraidh torthaí is glasraí a dhíol linn. Ba mhór idir na daoine geanúla sin agus ár dtréimhse gruama fuilteach ar Oileán an Órchiste. Chuaigh mé féin agus an dochtúir agus an squire i dtír le cuairt a thabhairt ar an mbaile, agus bhaineamar an oiread taitnimh as comhluadar an bhaile go raibh sé ina mhaidneachan lae nuair a bhaineamar an *Hispaniola* amach.

Bhí Ben Gunn as féin ar an deic. Nuair a thángamar ar bord

rinne sé faoistin linn. Bhí Silver imithe, ar sé. Chabhraigh an marúnaí leis éalú ar bhád ón gcaladh cúpla uair an chloig roimhe sin, agus dúirt sé go ndearna sé é sin ar mhaithe linn ar fad, mar nach raibh duine ar bith againn sábháilte fad is a bhí seisean ar bord na loinge. Ach, níor imigh sé gan chreach. D'éirigh leis mála airgid a thabhairt leis, luach trí nó ceithre chéad gine. Ar deireadh, bhíomar breá sásta a bheith réidh leis.

D'éirigh linn cúpla mairnéalach a fhostú an lá dar gcionn, agus d'éirigh leis an *Hispaniola* Briostó a bhaint amach sula gcuirfeadh an tUasal Blandly long ar ár dtóir. Níor tháinig ar ais ach cúigear den chriú a d'fhág uirthi. 'An t-ól agus an Diabhal a d'fhág iad tráite,' a deir an t-amhrán. Ach ní rabhamar baileach chomh dona is a bhí criú an Chaptaein Flint:

> As na seachtó cúig a sheol amach ón gcéibh,
> Níor fhan éinne beo ach fear inste an scéil.

Roinneadh an t-órchiste eadrainn, agus bhaineamar leas as go ciallmhar nó go fánach, de réir ár gcuid claonta féin. Thug an Captaen Smollett cúl leis an bhfarraige. Shábháil Grae a chuid airgid, chuaigh sé ag staidéar, agus tá sé ina mháta agus ina pháirt-úinéir ar long mhór tráchtála, é pósta agus ina athair clainne le cois. Maidir le Ben Gunn, fuair sé míle punt, agus bhí sé caite aige taobh istigh de thrí seachtaine, agus bhí sé ar ais ag iarraidh tuilleadh ina dhiaidh sin. Thug an squire obair dó, agus tá sé ann i gcónaí, agus aithne air mar amhránaí mór sa chór gach Domhnach is lá féile.

Níor airíomar aon trácht ar Silver ó shin. Tá mairnéalach na leathchoise imithe as mo shaol, ach is cinnte gur tháinig sé ar a bhean ghorm, agus is dóigh go bhfuil sé féin is í féin agus an Captaen Flint ar a sáimhín só in áit éigin.

Tá na barraí airgid agus na gunnaí, chomh fada le m'eolas, fós san áit ar chuir Flint iad. Agus chomh fada is a bhaineann liomsa, fanfaidh siad ann. Ní thabharfadh ainmhithe allta ar ais ann mé.

Sna brionglóidí is measa a bhíonn agam cloisim an fharraige ag tuairteáil faoin gcósta agus suím aníos sa leaba agus guth géar an Chaptaein Flint i mo chluasa: 'Píosaí ocht réal! Píosaí ocht réal!'

GLUAIS AGUS TÉARMAÍ FARRAIGE

Bord na hEangaí; bord na sceathraí — taobh na lámhe deise agus taobh na láimhe clé den bhád.

Bósan — an t-oifigeach loinge atá i gceannas ar an gcriú agus ar threalamh na loinge.

Cairt — léarscáil, mapa.

Caiseal deiridh — cabáin agus deic ardaithe i gcúl na loinge.

Caiseal tosaigh — deic ardaithe ar thosach na loinge.

Capstan — fearsaid ingearach a mbíonn luamháin láimhe uirthi chun rópa a ghlinneáil nó meáchan a chrochadh.

Ceathramhán — uirlis a úsáidtear chun suíomh loinge a thomhais ó na réaltaí.

Cláiríneach — duine ar leathchois, nó duine nach bhfuil in ann siúl.

Cocús – cistin ar bord loinge.

Crann scóide — sparra in íochtar an tseoil a úsáidtear chun an seol a chasadh sa ghaoth.

Crann spreoide — cuaille amach ó thosach na loinge.

Guaire — dumhach fhada íseal ghainimh i mbéal abhann nó ar an bhfarraige.

Halmadóir — maide stiúrach nó roth loinge.

Láinnéar — rópa a úsáidtear chun seolta a chrochadh nó a leagan.

Liagóir — oifigeach loinge, agus fear stiúrach ar bhád iomartha na loinge.

Marúnaí — duine a d'fhágtaí ina aonar ar oileán tréigthe.

Máta — An t-oifigeach atá i gceannas ar deic na loinge nuair nach mbíonn an captaen i láthair.

Post — cúl na loinge (ó bhall go posta: ó thosach go deireadh an bháid).

Rigín — rópaí agus cáblaí a cheanglaíonn na crainn seoil agus a smachtaíonn na seolta.

Scriúta, scriútaí — ropaí a dhaingníonn na crainn seoil.

Slat bhoird — clár adhmaid atá thart le colbha uachtair na loinge.

Snáth mara — an marc a fhágann an lán mara ar an trá.

Spidiúlacht — céasadh, drochbhail a chur ar dhuine.

Toistiún — bonn ceithre pingine sa seanairgead.